Marie Belouze-Storm

Les Bonnes Résolutions des paresseuses

•MARABOUT•

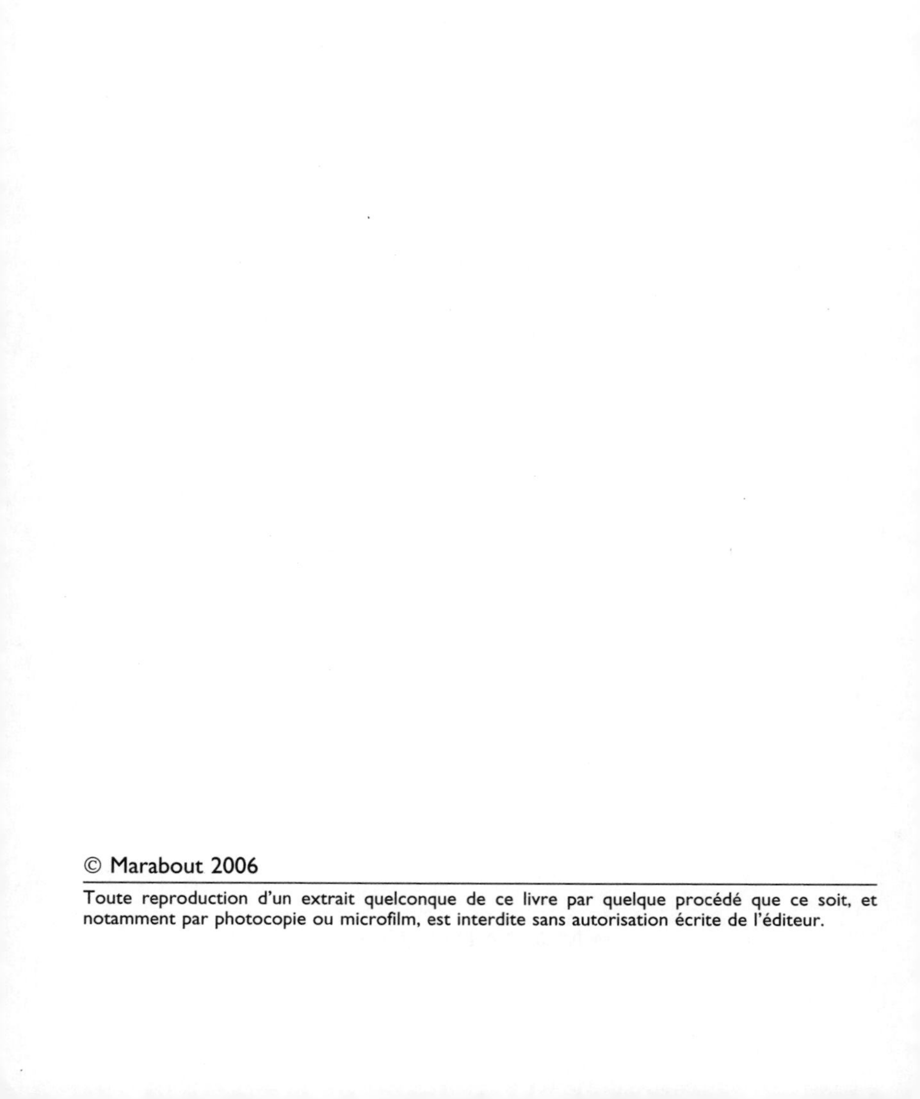

Les Bonnes Résolutions des paresseuses

Sommaire

Avant-propos

Pourquoi ce guide va vous aider

Avouez que ce serait quand même curieux si on était aujourd'hui le 1er janvier (jour officiel et fête nationale des bonnes résolutions) et que vous soyez justement en train de lire ce livre !

Certes, la lecture en est fort recommandable et vous êtes maligne ; ce n'est donc pas étonnant que vous l'ayez acheté... mais c'est peut-être plus qu'une coïncidence, non ? Un signe du destin ? Et même, en cherchant bien, un soupçon de mauvais présage ? Vous ne seriez pas une pro de la bonne résolution par le plus grand des hasards ? Du genre « Demain je m'y mets », ou « Demain j'arrête », ou, pire encore, « Demain est un autre jour » ! Car – on le sait toutes – l'ennui avec les bonnes résolutions, c'est qu'elles ne durent pas. Coup du sort ou amollissement irrémédiable, elles sont régulièrement reléguées à la Saint-Glinglin ou à la Semaine des quatre jeudis ! Et si elles ont une aura de sainteté, elles ont aussi un goût de « revenez-y ». Avouez que c'est tout de même fatigant pour une paresseuse digne de ce nom !

Bon, rassurez-vous, personne ne vous demandera de devenir une fourmi ascétique ou de renoncer aux plaisirs de la vie. D'ailleurs ce n'est pas votre genre. Non, vous êtes plutôt du genre cigale : une certaine *légèreté de l'être*, c'est ce qui vous va le mieux. Quelques péchés mignons comme tout le monde, quelques addictions bien ciblées, quelques gueules de bois occasionnelles : pas de quoi fouetter un chat, direz-vous ? Peut-être, mais alors : pourquoi avez-vous mauvaise conscience ? pourquoi vous acharnez-vous à prendre des bonnes résolutions ? Parce que vous savez bien... que vous vivez au-dessus de vos moyens question « santé » et aussi... question « ligne » ! Preuve drastique mais irréfutable, la définition d'une *addiction* selon le plus commun des dictionnaires : « *Relation de dépendance (à une substance, une activité), qui a de graves conséquences sur la santé.* » Et sa suite logique, la définition d'une *résolution* : « *Décision volontaire, la capacité à se déterminer et à résoudre.* »

En résumé, si vous ne voulez pas finir avec la hanche épanouie et la cuisse flasque, les poumons ratatinés et noircis ou la peau desséchée et ridée d'une vieille pomme, il va bien falloir prendre le problème à bras-le-corps, quel qu'il soit. C'est-à-dire passer de la bonne résolution à la résolution tout court : d'une paresseuse qui dilapide son capital « santé » par une vie de débauche (qu'elle regrette le lendemain), vous allez devenir une paresseuse libérée de toutes addictions, épicurienne et en pleine forme.

Et surtout, vous n'êtes pas toute seule : *Les Bonnes Résolutions des paresseuses* est un livre bourré d'idées et d'astuces aussi simples qu'efficaces, qui va vous aider à prendre une fois pour toutes le taureau par les cornes !

« Je suis paresseuse, mais je me soigne »

Il y a des jours où vous faites tout bien : vous mangez correctement (si, si, vous en êtes capable !), vous vous sentez en pleine forme et séduisante (le monde vous appartient !), vous allez à la gym (et de gaieté de cœur en plus !). Et pan ! il y a un truc qui cloche, vous vous faites mal au dos, vous manquez la gym, un bouton de fièvre vous pousse au coin de la lèvre et, pour parachever le tout, vous vous jetez la tête la première dans le frigo !

D'accord, cela arrive à tout le monde, même aux paresseuses les mieux intentionnées. Il n'en reste pas moins qu'au lieu de prendre une énième bonne résolution pour réparer les dégâts, il faudrait peut-être songer à ne plus vous punir et à prendre soin de vous-même malgré les obstacles qui jalonnent inévitablement votre vie.

Donc, avant de vous lancer dans une lecture intempestive de ce livre, ne prenez pas une bonne résolution de plus, du genre « Demain on rase gratis » ou « On va, on va », mais – « croix de bois, croix de fer » – prêtez le serment d'appliquer ces 10 bonnes résolutions, en toutes circonstances et quoi qu'il arrive :

1. « Je vais vraiment changer »

Finis les jours « sans » : vous êtes déterminée à tout faire pour être en forme aussi bien physiquement que mentalement. Vous allez combattre vos vieux démons – vous savez bien, ceux qui vous poussent à l'autodestruction. Et, chaque fois que vous relèverez le défi, vous vous rapprocherez de la personne que vous *voulez* et *pouvez* être. Au final – c'est sûr – vous gagnerez la bataille !

2. « Je vais me trouver une motivation en béton »

Vous voulez vivre heureuse, mince et en forme malgré la tablette de chocolat qui vous fait les yeux doux ? Vous voulez vous sentir svelte et sexy dans votre petite robe d'été, mais regarder les autres s'agiter vous fait déjà transpirer ? Eh bien, il ne vous reste plus qu'à trouver une motivation en béton au plus profond de vous-même et vous la répéter comme un mantra pour conjurer le sort quand il s'acharne à déjouer vos meilleures intentions.

3. « Je vais me faire plaisir au quotidien »

Qui a le don de vous rendre heureuse : votre partenaire ? vos enfants ? Et à part ça, qu'est-ce qui vous ferait vraiment plaisir ? Est-ce reprendre des études ? écrire un roman ? vous occuper de votre jardin ? cuisiner comme une pro ? Écoutez votre instinct et, chaque fois que quelqu'un ou quelque chose vous demande de l'énergie et du temps, demandez-vous fort égoïstement si cela vaut vraiment la peine d'en dépenser.

4. « Je vais faire ce qu'il faut »

Lamentez-vous, rechignez, gémissez si cela peut vous faire plaisir, pourvu que vous vous secouiez ! Abandonnez le canapé pour faire une promenade, emmenez les enfants faire du skate-board, videz vos placards, n'importe quoi du moment que vous bougez au lieu de vous lamenter sur vos mensurations !

5. « Je vais oublier d'être parfaite »

Car vous êtes paresseuse, certes, mais aussi perfectionniste et c'est bien là le problème. Vous essayez d'être une épouse parfaite, une mère sans reproche, une employée modèle, une amie dévouée ? Eh bien, sachez que personne n'est parfait. Et sachez aussi que vouloir être parfaite à tout prix est la porte ouverte au sentiment de culpabilité. Pensez « progrès », pas « perfection », et soyez donc un peu plus indulgente avec vous-même ! L'erreur est humaine.

6. « Je vais gérer mon stress »

D'accord, la vie quotidienne est stressante, il y a toujours des petits trucs à affronter et des choses plus importantes à résoudre, qu'on le veuille ou non. Pas la peine de vous rendre malade, de vous ruiner la santé, ou – comportement encore plus typique – de vous consoler en mangeant. Si cela vous rappelle quelque chose, aux grands maux les grands remèdes : écrivez sur la porte de votre réfrigérateur « STOP ! » en grosses lettres.

7. « Je vais rester sereine au cœur de la tempête »

Et quand vous vous trouvez nez à nez avec la porte de votre réfrigérateur, fermez les yeux, inspirez profondément et répétez : « La réponse N'est PAS dans le frigo ! La réponse N'est PAS dans le frigo ! » Auparavant, vous aurez pris la précaution d'écrire « *La réponse est LÀ !* » sur votre sac de sport, vos sels de bain, votre CD favori ou votre tisane préférée !

8. « Je vais soigner mon look...

... en cas de gros stress, certes, mais aussi le plus souvent possible. » Après tout, il n'y a pas de mal à vouloir se sentir superbe au quotidien. Pomponnez-vous de la tête aux pieds et arborez les vêtements que vous réservez habituellement aux grandes occasions. Comme on dit souvent : « Vous le valez bien ! »

9. « Je vais me créer un club de soutien »

Vous aurez plus de chances de tenir vos bonnes résolutions si vous vous entourez d'âmes de bonne volonté avec lesquelles vous pourrez partager vos plus profondes émotions : votre meilleure amie, vos grandes copines, une tante ou une sœur que vous pourrez appeler à la rescousse et qui seront toujours disposées à répondre à vos coups de fil ou à vos e-mails. Et si elles ont le sens de l'humour (elles en auront sans doute besoin), c'est encore mieux !

10. « Je vais trouver la paix »

Comme le disait Bouddha : « Nous sommes ce que nous pensons. » Si vous avez l'impression de broyer du noir, dites-vous bien que vous avez le pouvoir d'y remédier. Allez, vite, toutes à vos méditations : yoga, taï chi et autres techniques de relaxation !

chapitre 1

Comment vous relaxer avant de livrer un combat sans merci à vos petites manies

Arrêter de courir tous azimuts ? Oui, mais comment ?

Accro du boulot, en proie au stress, fatiguée, vous n'avez pas le temps de vous occuper de vous ? Il est temps d'apprendre à vous relaxer, à gagner du temps, à profiter de la vie sans vous encombrer la tête, sans quoi vos meilleures intentions resteront des vœux pieux ! Vous êtes de celles qui s'accordent un petit verre ou deux le soir pour se détendre ? une cigarette vingt fois par jour pour évacuer leurs tensions ? une tablette de chocolat trois fois par semaine pour se remonter le moral ? Et de celles qui jurent, le lendemain, qu'on ne les y prendra plus ? Alors de toute évidence, ce chapitre est fait pour vous. Le succès de TOUTES vos bonnes résolutions dépend de votre capacité à ne pas vous mettre « la rate au court-bouillon ». Car, les bonnes résolutions, il ne suffit pas de les prendre, encore faut-il les tenir !

L'art de tenir vos bonnes résolutions

Vos bonnes résolutions ont sans aucun doute pour but d'effacer l'ardoise, de recommencer de zéro et de proclamer l'heure du changement. Quoi de plus légitime ? Mais, même avec la meilleure volonté, avouez que vous avez bien du mal à concrétiser vos meilleures intentions.

Quelques conseils malins pour arriver à vos fins :

- Fixez-vous un ou deux objectifs clairs et réalistes (plutôt que trois ou quatre vagues et compliqués).
- Commencez par des buts faciles à atteindre : l'un à court terme (2 mois par exemple), l'autre à moyen terme (8 mois).
- Annoncez vos résolutions à votre entourage.

- Trouvez une copine qui a les mêmes objectifs que vous.
- Planifiez les étapes sur un calendrier bien visible (pas un agenda) et n'en sautez aucune.
- Notez chaque semaine vos progrès, vos erreurs et vos entorses pour en prendre conscience.
- Pardonnez-vous les éventuels faux pas, mais ne perdez jamais de vue votre objectif final.
- Représentez-vous la joie du but final, plutôt que de succomber à la récompense immédiate (remplacez l'idée du gâteau au chocolat ingurgité en deux minutes par celle d'un corps mince et agréable à regarder).

L'art de renoncer à votre perfectionnisme

- Il faut vous faire une raison : une vie parfaite et sans accrocs n'existe pas ! Donc, pour vivre heureuse et détendue, abandonnez une fois pour toutes votre perfectionnisme et goûtez aux plaisirs de la vie quand ils croisent votre chemin.
- Soyez positive. Il est bien plus facile de critiquer que de savoir apprécier ce qui nous entoure – même quand ce n'est pas toujours évident. Une bonne thérapie consiste à respirer un bon coup et à clamer haut et fort : « C'est parfaitement imparfait ! »
- Reconnaissez vos limites. N'essayez pas d'en faire trop au risque de battre votre coulpe quand vous n'avez pas le temps de tout faire. Félicitez-vous plutôt pour le travail accompli et revoyez à la baisse votre emploi du temps.
- Établissez des priorités. Une chose est sûre : vous ne pouvez pas être bonne en tout. Concentrez-vous sur ce qui a de l'importance et jetez le reste au panier.
- Cessez de vous donner des ordres. Le « Tu n'as qu'à... » est à remplacer par « Je choisis de... ».

10 trucs de paresseuse pour lever le pied

Ou comment assumer pleinement la paresseuse qui est en vous.

1. Stimulez vos sens

Mettez le paquet sur la décoration de la table et les bons petits plats odorants, histoire de stimuler votre système « dopaminergique ». Car, en respirant les senteurs d'un bon gratin dauphinois, vos neurones libéreront de la dopamine, une hormone qui aide à lutter contre le stress.

2. Ressentez vos émotions

Un coup dur et on ravale ses émotions. Erreur ! La tristesse est une réaction physiologique d'adaptation ; elle permet un travail de réparation et une meilleure acceptation de la réalité.

3. Placez votre corps

Si vous ne voulez pas finir coincée au lit avec les articulations douloureuses, ne vous ruez pas sur le téléphone, évitez de vous jeter dans votre voiture sous prétexte que vous êtes en retard et, plus généralement, cessez de vous mettre la pression jusqu'au soir. Prenez donc le temps de placer votre corps avant tout mouvement !

4. Cassez le rythme

Même le week-end rien n'arrête votre frénésie ? Arrêtez donc de remplir votre vie comme un réfrigérateur ! Un peu de lenteur et de solitude permettent de retrouver sa créativité et de développer ses dons.

5. Freinez vos dépenses

Vous éviterez le stress du relevé bancaire. Et, puisqu'il vaut mieux prévenir que guérir, demandez-vous si vos achats relèvent du besoin, du désir ou de la peur de manquer. Un bon truc : payer en espèces calme les impulsions.

6. Réservez-vous des bulles d'oxygène

Papotez près de la machine à café, allez au cinéma avec des amis et réservez-vous une case pour le « non-urgent » et pour le *fun*.

7. Mastiquez correctement

Une bonne mastication dure entre 15 et 40 secondes. Qu'on se le dise, car si vous sabotez le travail, vous aurez tendance à manger davantage et à grossir !

8. Oubliez le temps

Si l'aventure vous tente, il existe un moyen imparable pour arrêter la course contre la montre : oubliez la vôtre au fond d'un tiroir !

9. Prenez le temps d'aimer

Usée par les cavalcades de la journée, vous vous retrouvez au lit avec une envie de l'autre si paresseuse que le désir est bien le cadet de vos soucis. Il est donc impératif que, en amont, vous preniez le temps de vous relaxer et d'instaurer une complicité pour permettre à votre délicat système neuro-hormonal de se mettre en place !

10. Résistez à l'appel du divorce

Il est en tête de liste des événements les plus stressants et pour cause... Donc, avant d'en arriver à des solutions radicales et de jeter votre couple comme un Kleenex, donnez-vous les moyens de découvrir et d'accepter les faiblesses et les défauts de votre partenaire : vous apprendrez également beaucoup de choses sur vous-même.

RIRE, C'EST DRÔLE !

Fatiguée, énervée, irritable... pas de doute, vous êtes stressée et il existe un remède : le rire !
Le rire relâche les muscles des cuisses et des épaules, accélère la respiration, fait battre le cœur plus vite et augmente la pression sanguine en favorisant l'oxygénation des tissus. Une véritable onde de choc qui tonifie les organes et renforce les défenses immunitaires. Le rire stimule aussi les hormones du bien-être en augmentant la sécrétion d'endorphines qui provoque une douce euphorie et évacue l'adrénaline et la noradrénaline, deux hormones responsables du stress, de la fatigue et des troubles du sommeil.

Stress et fatigue : comment les identifier ?

Dans *surmenage*, il y a « sur », une notion de dépassement, de limite franchie : celle de votre capacité à faire face. Le surmenage est subjectif, il est moins fonction de la somme de travail que vous abattez que vos propres facultés à l'accomplir et aussi votre propension plus ou moins grande à l'anxiété.

Incontestablement il y a les droguées du travail, celles qui ne se sentent bien qu'avec un agenda plein à craquer. Il y a aussi les désordonnées qui brassent de l'air, surmenées mais peu productives. Et il y a enfin celles qui veulent tout faire par elles-mêmes, qui diluent leur créativité et leur énergie dans un océan de petites tâches. Force est de constater que beaucoup se soutiennent avec des petits noirs, un petit verre ou deux et pas mal de cigarettes – ce qui ne résout malheureusement rien et amplifie même les risques liés au stress.

Stressée, mais comment ?

C'est quoi le stress ? Pour bon nombre, c'est un concept fourre-tout désignant un vague sentiment de malaise. Pourtant le stress est une réaction biologique bien réelle à une stimulation extérieure physique, psychique ou sensorielle, une réponse de l'organisme vis-à-vis d'une agression. Si l'agression peut être de différentes natures, les réponses de l'organisme sont programmées et toujours semblables. Et, quelle que soit la nature de l'agression, l'organisme réagit en trois temps : 1) la phase d'alarme, 2) la période de résistance, et enfin 3) le stade d'épuisement.

1. La phase d'alarme

L'organisme subit un choc et met en route ses défenses par de nombreuses réactions biologiques : augmentation de l'irrigation sanguine du cerveau et du cœur facilitant un surcroît d'activité, diminution de la douleur, tension des muscles et acuité intellectuelle augmentée. Il faut bien reconnaître que c'est parfois utile : par exemple, pour se sauver quand la maison brûle !

2. La période de résistance

Cette période détermine la stratégie à adopter face à l'agression : soit l'affrontement, c'est-à-dire la réaction destinée à supprimer ou à neutraliser ce qui a provoqué l'agression, soit la fuite, si elle est possible. Ces réactions se font par l'intermédiaire d'hormones et de neurotransmetteurs.

3. Le stade d'épuisement

C'est là que les choses se gâtent. Si ce qui a provoqué le stress ne peut être neutralisé ou s'il se prolonge, l'organisme en subit les conséquences. Quand le stress devient chronique, il y a danger, car l'organisme doit constamment s'adapter. L'équilibre nerveux et hormonal se trouve modifié, les capacités de concentration et de productivité sont en chute libre et les retombées psychologiques sont plus ou moins sévères.

Stressée, mais pourquoi ?

Il faut vous poser la question et savoir reconnaître ce qui vous stresse. Le stress est une réaction individuelle ; ainsi, ce qui plonge votre meilleure amie dans un état d'anxiété épouvantable peut vous paraître anodin. Chacun réagit différemment en fonction des stress antérieurs, de sa propre résistance, de son état de santé.

Le stress occasionnel

Il faut se faire une raison : deuil, maladie d'un proche, tension familiale, sans compter l'afflux continuel de nouvelles planétaires stressantes, personne n'y échappe. Et c'est l'accumulation de tous ces stress plus ou moins importants qui pousse bien des paresseuses à trop manger, à trop boire, à dormir mal, à être sur les nerfs et, évidemment, à ne pas tenir leurs bonnes résolutions.

COUP DE BLUES

Vous êtes déprimée sans raison apparente ? C'est peut-être le syndrome prémenstruel. Provoqué par les fluctuations hormonales, il survient 5 à 7 jours avant les règles et se manifeste par des symptômes divers et variés : entre autres, la tristesse, les troubles de l'humeur, la déprime et les compulsions alimentaires.

Le stress professionnel

Le travail, c'est la santé ? Pas toujours. Le chef de service, le ou la collègue, le patron, voire la nature même de l'activité (sans parler du chômage !) réussissent à en stresser plus d'une. Et le pire, c'est que l'on a tendance à « faire avec » ce stress répété, pour ne pas se remettre en question, pour ne pas se lancer dans l'incertitude d'un changement ou pour éviter les crises familiales. Bref, l'on s'installe dans un état de stress quasi permanent qui peut se révéler dangereux.

Fatiguée, découragée, démotivée ? Tout n'est plus aussi rose au bureau et vous avez du mal à vous lever chaque matin ? Attention ! vous êtes peut-être touchée par le *burn-out* (terme d'un psychanalyste américain, Herbert J. Freudenberger), le fameux syndrome d'épuisement professionnel. Les victimes de cette maladie professionnelle s'épuisent mentalement et physiquement en essayant d'atteindre des objectifs irréalisables ou d'accomplir des tâches insurmontables.

Le *burn-out* semble souvent survenir tout d'un coup ; il est pourtant le résultat d'un processus lent, d'une tension continue durant de longs mois, voire des années, et ce jusqu'à l'épuisement. Les symptômes sont nombreux : fatigue continue accompagnée d'épuisement mental, de déprime, de démotivation, baisse de l'estime de soi, sentiment d'incompétence, irritabilité, troubles psychosomatiques matérialisés par des maux de tête ou de dos.

Comment savoir si vous êtes momentanément fatiguée ou si vous souffrez de *burn-out* ? Sans vouloir être alarmiste, plusieurs signes peuvent vous mettre la puce à l'oreille, notamment s'ils sont présents depuis quelque temps :

— Vous vous fatiguez plus facilement et avez souvent des difficultés pour vous lever le matin.

— Vous travaillez de plus en plus alors que votre rendement diminue constamment.

— Vous avez l'impression que vos efforts sont rarement remarqués.

— Vous avez une attitude plus désabusée.

— Vous oubliez parfois vos rendez-vous.

— Vous êtes plus irritable.

— Vous voyez de moins en moins votre famille et vos amis intimes.

Comment vous en sortir ? Il faut vous faire aider et, à ce titre, une thérapie peut être d'un secours précieux. La guérison passe par un retour sur soi pour réévaluer ses aspirations professionnelles profondes et ses limites, connaître ses domaines de prédilection et se fixer des objectifs réalistes. Il est également nécessaire de renouer le dialogue avec autrui, afin d'améliorer le travail d'équipe et les relations entretenues avec les collègues. Enfin, il ne faut pas oublier de s'occuper de soi, c'est-à-dire ne pas négliger son quotidien en dehors du bureau. L'important est de veiller à garder un équilibre physique et mental intact, en composant entre travail et vie privée pour retrouver la joie de vivre... et d'aller travailler !

SOUS HAUTE TENSION ?

Pensez à la valériane, une plante apaisante, ou prenez pendant dix jours un comprimé d'hydrolysât de protéines de lait. Ce dernier limite l'élévation de la pression artérielle et l'accélération du rythme cardiaque en cas de stress.

L'art de garder son calme en toutes circonstances

Comment rester calme quand tout s'agite autour de vous ? Comment rester sereine face à n'importe quel problème ? Comment apprendre à « lâcher prise », à répondre au mieux à cette tension qui vous envahit et gérer ce qui vous contrarie ?

Dosez vos émotions

Votre vie est rythmée par des moments plus ou moins stressants, plus ou moins heureux et plus ou moins prévus. Pour y faire face, il faut apprendre à vous maîtriser, à doser vos émotions, vos réactions, et ne pas craquer dès qu'un obstacle se met en travers de votre chemin. Ainsi, que vous soyez coincée dans un embouteillage ou au bord de la crise de nerfs parce que vos enfants hurlent depuis une heure, la solution n'est pas de vous mettre à hurler à votre tour.

Quand vous avez l'impression que le ciel va vous tomber sur la tête, prenez le temps de respirer profondément avant de dire et de faire quoi que ce soit. Puis tâchez d'être objective 1) en analysant la gravité de la situation, 2) en réfléchissant aux ressources que vous avez pour affronter le problème, et donc 3) aux solutions que vous adopterez pour le résoudre. Si vous arrivez à faire cela, vous êtes déjà sur la bonne voie.

Soyez réaliste

Vous n'êtes pas Wonderwoman ! Si un problème vous dépasse, pensez à faire appel à quelqu'un. C'est en reconnaissant vos limites et en partageant vos problèmes que vous réussirez à les résoudre. Apprenez aussi à relativiser vos erreurs et les difficultés que vous rencontrez, car elles font partie de la vie. Enfin, ne rechignez pas à l'apprentissage de techniques de relaxation qui peuvent vous permettre d'apprendre à retrouver votre calme en toutes circonstances. Il en existe un grand nombre, en groupe ou en individuel, chez soi, au travail, ou dans un cours spécialisé. Respiration, étirements et travail sur les sensations corporelles font partie des exercices types qui changeront votre manière d'appréhender et de gérer les événements difficiles.

Restez zen

Il est bon parfois de s'emporter un peu, cela peut vous permettre d'obtenir ce que vous voulez. Sachez cependant qu'en gardant le contrôle de vous-même et de vos émotions, vous vous doterez d'une qualité de vie bien meilleure. Surtout dans un monde où tout est rapide, où le silence est rare et où il peut être difficile de trouver un moment de tranquillité. N'oubliez pas que la panique mène à la panique, optez plutôt pour l'attitude zen ! Vous verrez que ça contribuera à votre bonheur et à celui des gens qui vous entourent.

SUR VOS GARDES

Pour éviter que le stress ne s'accumule à votre insu, faites régulièrement un petit bilan de santé prescrit par votre médecin. Et, au quotidien, ménagez-vous des pauses durant lesquelles vous pratiquerez des mouvements destinés à prévenir les raideurs musculaires et articulaires.

L'art de faire la part des choses

Pour en finir avec les palliatifs et autres fausses excuses, et vous donner les moyens de réagir et surtout de tordre le coup aux idées reçues, voici quelques questions-réponses à la paresseuse que vous êtes :

« Quand on a toujours été compétitive, c'est un mode de vie, pas du stress ? »

Pas vraiment. Vous pouvez tout à fait être stressée sans même vous en rendre compte. Le pire, c'est que vous avez alors du mal à vous détendre ou bien, au contraire, il vous arrive de vous lâcher complètement par réaction !

« Quand on ne se sent pas fatiguée, c'est qu'on n'est pas surmenée ? »

Faux. Vous pouvez être profondément stressée et surmenée sans ressentir de fatigue. Sachez reconnaître les signes du surmenage comme la difficulté à vous concentrer, les troubles de la mémoire, l'esprit qui tourne à vide, des hésitations inhabituelles, l'angoisse ou l'agressivité, les sautes d'humeur, etc.

« C'est bien connu, la cigarette relaxe, non ? »

Le recours au tabac est une solution illusoire. D'une part parce que son effet tranquillisant est de courte durée et aussi parce que la cigarette provoque une gêne respiratoire, source de stress pour l'organisme.

« Il existe sans doute de bons médicaments antistress ? »

Certes, les médicaments sont utiles pour stopper le processus destructeur de l'anxiété lié au stress, mais ils doivent s'accompagner d'un travail psychologique. Il faut savoir que certains bloquent l'action du système lymphatique, indispensable aux réactions de l'organisme face au stress.

« Pourquoi est-ce que le stress fatigue ? »

Face à une sollicitation permanente et répétitive, l'organisme puise sans relâche dans ses réserves énergétiques et lutte pour s'adapter. On ressent alors de la fatigue, qui dans certains cas de stress durable n'est pas réparée par le sommeil. Il faut retrouver son propre rythme, sa propre horloge interne. Inutile de dormir plus, il suffit juste de dormir mieux : se coucher et se lever à des heures régulières et ne pas prendre d'excitants avant d'aller au lit.

« Est-ce qu'un déséquilibre alimentaire favorise le stress ? »

D'une façon générale, votre façon de penser, de sentir, de percevoir dépend de votre santé physique et biologique. C'est pourquoi il faut veiller à maintenir un équilibre alimentaire entre les différents nutriments. Préférez les sucres lents (céréales, pommes de terre, pâtes, riz...) plutôt que les produits sucrés ou les pâtisseries. Préférez les graisses végétales aux graisses animales et veillez à consommer suffisamment de « bonnes » protéines (poissons, viandes, œufs, laitages).

« Est-ce que le stress engendre des mauvais comportements alimentaires ? »

La perte du rythme des repas, le grignotage, les déjeuners pris sur le pouce dans de mauvaises conditions sont des comportements induits par le stress. Les aliments choisis sont principalement ceux que vous ressentez comme déstressants : sucres rapides, sodas, graisses... car ils vous font plaisir. Rééquilibrez votre alimentation et prenez le temps de manger, en choisissant un endroit calme, tempéré, qui vous permette d'être assise.

« Est-ce que les sucreries calment le stress ? »

Elles appartiennent à la catégorie des sucres rapides, ceux qui passent directement dans le sang en donnant un coup de fouet quasi immédiat, mais de courte durée. Les sucres présentent néanmoins l'avantage de faire plaisir – ce que nous recherchons lorsque le stress nous gagne. En revanche... gare aux bourrelets !

« Est-ce que le stress entraîne des carences en vitamines et en oligoéléments ? »

Eh non ! Le stress n'a pas d'incidence directe sur les taux de vitamines et d'oligoéléments présents dans l'organisme. Ce sont les déséquilibres alimentaires induits par un état de stress qui peuvent conduire à des carences et prendre des vitamines en comprimés ne répondra que ponctuellement à ce déséquilibre si vous n'agissez pas sur les causes de votre stress.

COUP DE FOURCHETTE ANTIFATIGUE

- La vitamine C **dope l'immunité et favorise l'assimilation du fer (le manque fatigue). On la trouve à foison dans le persil, les agrumes, le kiwi, le poivron cru, le chou.**
- L'ail et l'oignon **sont d'authentiques antibiotiques « verts ».**
- Le beurre et l'huile **: pour la vitamine E qui alimente les membranes des cellules et contribue à la synthèse des globules rouges.**
- Les pâtes *al dente* **: des glucides lents qui sont le carburant du cerveau et pallient les coups de pompe.**

Comment gagner du temps en vous simplifiant la vie ?

Cronos, dieu du Temps, dévorait ses enfants : ne vous laissez pas manger à votre tour ! La gestion du temps est sans doute le remède au surmenage, mais c'est aussi un mode de vie qui permet d'être plus productive et efficace. « Occupation » n'est pas synonyme de « stress » : savoir gérer son temps permet de bien travailler et aussi de se relaxer et de s'amuser. Vous n'arrêtez pas de courir à droite et à gauche toute la semaine ? Le week-end, vous n'avez pas une seconde pour vous reposer ? Il faut lever le pied !

Comment mieux gérer son temps ?

Comment être à la fois efficace, dynamique et heureuse ? Vous trouvez peut-être qu'un rythme endiablé est dynamisant ? que c'est valorisant et agréable ? Vous avez l'impression d'être une super-nana en puissance ? Mais, petit à petit, vous finissez par vous sentir de plus en plus débordée, et le stress devient votre lot quotidien. Vous avez le sentiment de ne plus avoir de temps pour vous occuper de vous, vous vous sentez emportée dans une spirale que vous ne maîtrisez plus. Comment reprendre le dessus ? Pour cela quelques trucs très simples :

Sachez planifier…

… à l'avance le travail de la journée sans rien omettre. Établissez une liste et équilibrez les tâches à effectuer en vous réservant des moments de loisirs, de relaxation et d'exercices physiques.

Établissez vos priorités

On s'éparpille dans des activités plus ou moins importantes, qui nous grignotent de précieuses heures, et on perd de vue les priorités. La première chose à faire est donc d'établir une liste de vos activités : essentielles, importantes, ou secondaires. Commencez par les urgences absolues et estimez le temps nécessaire pour les traiter.

Sachez reporter...

... calmement et rationnellement ce que vous n'aurez pas le temps de faire.

Commencez par les tâches qui vous rebutent

Et programmez votre journée en casant si possible en début de matinée – le moment où vous débordez d'énergie – les tâches et les projets les plus prenants.

Finissez un travail avant d'en commencer un autre

Et accordez-vous de petites pauses, voire une mini-sieste. Forcez-vous à pratiquer une activité en dehors du travail. Si vous y prenez goût, vous y laisserez une bonne part de votre stress.

Faites des pauses

En repérant les moments où vous êtes disponible, mais aussi ceux où vous êtes occupée et qui demandent de la concentration et de la disponibilité. Branchez votre répondeur téléphonique et éteignez votre portable plus souvent.

Communiquez efficacement

Vous gagnerez un temps précieux en apprenant à mieux communiquer, tant avec vos proches qu'avec vos collègues de travail. Une bonne communication est celle qui va à l'essentiel. Ne noyez pas votre interlocuteur sous un déluge de détails inutiles, et cernez clairement l'objectif de votre communication.

Sachez déléguer

Vous devez apprendre à déléguer. À la maison, demandez à vos enfants de faire quelques courses, ou de participer aux tâches ménagères (même si vous pensez qu'ils le font moins bien que vous). Au travail, sachez vous entourer de collègues efficaces, à qui vous pourrez déléguer une partie de votre activité en toute confiance. Du mal à déléguer ? Questionnez-vous sur les raisons profondes de cette réticence...

Retrouvez le goût du farniente...

Faites-vous du bien, ralentissez ! S'accorder du temps pour soi, faire une plus grande place à ses loisirs et à ses rêves, ça n'est pas perdre son temps. Au contraire, ça redynamise et rend plus créative pour des tâches plus sérieuses. Vie professionnelle et vie privée doivent se nourrir l'une de l'autre, s'équilibrer et non pas s'opposer.

Fixez-vous des objectifs réalisables

Vous êtes de celles qui pensent que seule compte la réussite sociale ? C'est votre objectif premier ? Vous passez donc énormément de temps au bureau (même les plus paresseuses d'entre vous), vous vous investissez complètement dans votre tâche et êtes persuadée que vous pourrez profiter de la vie une fois que votre objectif sera atteint. Professionnellement, vous visez donc la perfection – ce qui malheureusement vous expose à être constamment insatisfaite. Qui peut être toujours parfait ? Personne... sans compter que le désir de perfection débouche inévitablement sur un sentiment d'insatisfaction. Ne serait-il pas plus raisonnable de vous fixer des objectifs réalisables et quantifiables plutôt que de courir après votre ombre ?

Demandez-vous quand vous êtes le plus efficace ?

Vous devez savoir à quel moment de la journée (matin, après-midi, soir) vous êtes le plus efficace. Si c'est le matin, par exemple, vous devez alors programmer vos activités importantes, vos rendez-vous essentiels et les prises de décision dans ce créneau.

Apprenez à mieux vous connaître

Si vous vous laissez déborder en permanence et qu'en plus vous l'acceptez, c'est forcément que vous en retirez des bénéfices secondaires. Quels sont-ils ? Vous devrez absolument trouver une réponse à cette question si vous voulez réellement changer les choses et organiser votre temps de façon plus judicieuse. Ces bénéfices secondaires sont différents pour chacune, ils peuvent être de l'ordre d'une reconnaissance du groupe (toujours valorisante), d'un goût du défi, d'une prise de pouvoir sur les autres, d'une nécessité économique, etc.

Respectez vos limites personnelles

Refuser une corvée, un engagement de plus, une sortie fatigante permet de fixer ses propres limites, de retrouver confiance en soi et de mieux sélectionner ses priorités. Et surtout ne culpabilisez pas !

Ces quelques conseils vous aideront probablement à réduire le stress négatif dû à une mauvaise gestion du temps. Toutefois, vous ne ferez pas l'économie d'une réflexion approfondie sur vous-même et sur votre façon de fonctionner. Une petite introspection ne vous ferait pas de mal car elle seule vous permettra un changement durable dans le temps.

LE STRESS EN HÉRITAGE

Certaines femmes, enceintes au moment des attentats du 11 septembre 2001, ont développé un syndrome post-traumatique. Lequel, si l'on en croit une étude américaine, a été transmis à leurs enfants. L'étude porte sur la relation entre le stress post-traumatique et le taux de cortisol (appelé aussi « l'hormone du stress ») chez 38 de ces femmes, mais aussi chez leurs enfants, un an après leur naissance. Résultat ? Ces femmes, ainsi que les enfants présentaient un taux de cortisol supérieur à la normale.

Comment gérer la folie du matin ?

Vous êtes une fois de plus à la bourre, même en vous levant aux aurores ? Vous avez perdu vos clés de voiture ? Le réservoir d'essence est à sec ? Et, pour couronner le tout, vous découvrez que la jupe que vous voulez mettre a une vilaine tache ? Du calme ! Sinon, vous allez être à cran toute la journée et... vous allez manger pour calmer vos nerfs. Sachez que vous pouvez arriver, sans trop d'efforts, à une certaine béatitude, ne serait-ce qu'en vous organisant un minimum la veille.

Côté « chambre »

- Mettez les vêtements que vous allez porter le lendemain dans un endroit désigné pour ne pas à avoir à ouvrir tous les tiroirs pour trouver le soutien-gorge couleur chair qu'il vous faut.
- Vérifiez que vos vêtements n'ont pas de taches ou ne sont pas froissés.

- Assurez-vous que vos enfants ont choisi leur tenue du lendemain, vous éviterez les crises de nerfs du choix de dernière minute.
- Faites le plein d'essence la veille, sans quoi vous perdrez un temps fou le lendemain matin.

Côté « cuisine »

- Préparez le percolateur à café (filtre, café) et mettez le sucre, les tasses et les cuillères à proximité.
- Mettez la table pour le petit-déjeuner (hors de question de l'avaler sur le pouce) et apprenez à vos enfants à se servir eux-mêmes en plaçant leurs aliments favoris à portée de main.
- Préparez et laissez dans le frigo des sandwichs, des en-cas et des fruits pour une semaine, afin de les emporter au bureau ou à l'école (en guise de goûters pour vos enfants).

Côté « stratégies malignes »

- Offrez à vos enfants leur propre réveille-matin pour leur apprendre à être responsables.
- Si vous voulez être sûre de ne pas oublier un rendez-vous important, collez un Post-it sur le miroir de la salle de bains.
- Transformez la porte de votre frigo en tableau à messages pour toute la famille : listes de courses, calendrier d'anniversaires ou simple pense-bête. N'oubliez pas de mettre des crayons et du papier à proximité.
- Et enfin, en guise de solution matinale extrême, vous pouvez toujours programmer un minuteur (celui dont vous vous servez pour faire cuire les œufs durs) 10 minutes avant l'heure du départ.

Comment savoir dire « non » pour mieux savoir dire « oui » ?

NON ! Vous avez du mal à articuler fermement ce petit mot et vous retrouvez souvent piégée et stressée ? Un peu de courage, faites connaître clairement aux autres votre refus d'obtempérer ; c'est encore le meilleur moyen d'éviter le stress et, en plus, cela s'apprend !

Votre patron vous demande de rester plus tard ce soir ? Votre fille veut sortir pour la troisième fois cette semaine ? Votre frère veut vous emprunter 1 000 euros… ? Vous n'êtes pas d'accord ? Dites-le ! Trop souvent, on cède aux pressions et on lâche à regret un « oui », simplement par peur des conséquences de son refus. Il est vrai qu'exprimer son désaccord oblige à être active, à remettre en question l'ordre établi. Devoir s'expliquer, négocier avec l'autre, c'est aussi s'exposer à des critiques, à des rancunes, passer pour un sans-cœur, un casse-pieds. Avoir peur d'être mal jugée renforce l'état de dépendance dans lequel on se trouve vis-à-vis des autres, mais c'est pourtant indispensable si l'on veut affirmer sa personnalité, être vraiment soi-même et ne plus se laisser stresser bêtement.

Arrêtez de vous justifier !

Peur de décevoir, de ne plus être aimée, de sembler égoïste ? Voici 5 bonnes raisons pour ne plus vous justifier :

- Vous vous dévalorisez et vous aggravez votre manque de confiance en vous-même.
- Vous donnez une mauvaise image de vous-même. Les autres vous imagineront peut-être vulnérable, voire faible.

- Vous vous posez en victime – ce qui n'est pas forcément aguichant !
- Vous risquez d'être encore plus manipulée, surtout face à des gens forts qui auront tendance à vous mettre en difficulté.
- Et enfin… mieux vaut ne pas commencer. Quand on commence à se justifier, il est difficile de s'arrêter !

L'art de dire « non »

Peur de fâcher, de vexer, de vous faire des ennemis ? Voici 10 trucs de paresseuses pour dire « non » dans les règles de l'art :

CONSEIL

La règle consiste à ne pas vous focaliser sur le mot lui-même. Le secret pour savoir dire « non », c'est de ne pas le dire du tout ! Évincez le rapport personnel car c'est sur ce terrain-là que votre interlocuteur essaie de vous piéger. Il veut que vous ressentiez de la culpabilité, voire de la pitié, du genre « Tu ne peux pas me laisser tomber dans un moment pareil ». Ou encore il essaie de vous flatter : « Qu'est-ce que je ferais sans toi ? » Donc, disparaissez, évaporez-vous, devenez insaisissable, jouez la bêtise !

1. Faites semblant de ne pas avoir entendu

Jouez l'imbécile et faites comme si vous n'y captiez rien. Beaucoup éviteront de répéter leur demande haut et fort.

2. Ne dites pas « non », usez du « oui, mais… »

Un bon moyen pour que l'on ne vous reproche pas votre mauvaise volonté : vous aimeriez bien rendre ce service, vous seriez partante pour ce dîner, MAIS… Bref, l'important, c'est d'éviter la confrontation directe.

3. Ne culpabilisez pas

Pas facile de s'affirmer sans passer pour une mégère. Pour obtenir un « oui » de votre part, certaines personnes (famille, amis, commerçants, patron…) vont tenter de vous culpabiliser. Stop ! Ne vous laissez pas influencer : votre refus ne doit pas remettre en cause ce que vous êtes. Ne cédez surtout pas au chantage, notamment affectif.

4. Ne vous précipitez pas

Demandez un délai de réflexion, ne répondez jamais à brûle-pourpoint, jouez l'indécision ou dites : « Il faut que je demande à ma mère / mon mari / mon copain / etc. s'il (si elle) n'a rien prévu d'autre. » Prenez votre temps pour peser le pour et le contre de la situation… surtout si vous sentez que l'on vous presse pour obtenir plus vite et plus facilement votre accord. N'hésitez jamais à demander un délai de réflexion en annonçant : « Je vais y réfléchir. »

5. Construisez-vous une armure

Face aux importuns, il est crucial de ne rien laisser filtrer de vos émotions : ils en feraient leur miel ! Enfermez-vous dans une tour d'ivoire, vous avez votre vie, votre travail. Des gens qui vous entourent ont besoin de vous et vous êtes assez occupée avec eux. Votre temps est précieux !

6. Préparez-vous

Opposer un refus est toujours source d'anxiété. C'est pourquoi il faut apprendre à gérer une telle situation, tout particulièrement en prenant conscience des pensées négatives que génère votre désaccord. Remplacez vos monologues intérieurs (« Ça tombe toujours sur moi », « Je ne suis pas très sympa ») par des pensées réalistes (« J'ai le droit d'exprimer mes opinions »). Fabriquez-vous des expressions toutes faites que vous n'aurez qu'à sortir de votre poche : « Je suis sincèrement désolée, mais ma réponse est non » ou « Je regrette vraiment, mais je préfère m'abstenir… ».

7. Soyez tacticienne

N'agressez pas votre interlocuteur : préférez le « je » (« Je ne peux pas te prêter d'argent ») au « tu » (« Tu n'as jamais un centime »). Adoptez des techniques connues des psychologues : par exemple, celle dite « du disque rayé ». Elle consiste à répéter sans discontinuer votre opinion, quelles que soient les objections de votre interlocuteur, jusqu'à ce qu'il l'entende : « Je suis désolé(e) mais j'ai un rendez-vous » ou « Ce meuble me plaît mais je n'en ai pas les moyens ». Autre technique, l'écran de brouillard qui consiste à paraître accepter les critiques sans abandonner votre point de vue : « Je sais, ce n'est pas très gentil de ma part mais je ne peux pas t'aider ce week-end. » Ces deux attitudes particulièrement décourageantes pour votre demandeur devraient lui faire lâcher prise rapidement. Là encore, entraînez-vous !

8. Trouvez une solution de substitution

La méthode du « non, mais… » vous permet de contourner la difficulté. Expliquez à votre frère : « Je comprends tes soucis financiers, mais je ne peux pas t'aider en ce moment. Pourquoi ne demandes-tu pas une avance à ton patron ? » Expliquez à vos parents : « Je sais que vous comptiez sur nous pour Noël mais nous avons prévu d'aller à la montagne. En revanche, nous pouvons nous retrouver le premier week-end de janvier… » Vous montrez ainsi que vous avez vraiment réfléchi à la demande et nul ne pourra vous reprocher votre désintérêt.

9. Rappelez-vous l'âge d'or...

... de vos fameux deux ans et l'insouciance de votre enfance, quand, sans vergogne, vous vous époumoniez en « Non, NON et NONNN !!! » et que tout le monde souriait autour de vous !

10. N'en abusez pas

En revanche, ne refusez rien par esprit de contradiction, parce que vous êtes énervée, tendue, ou que vous avez trop bien appris la leçon ! Veillez également à ne pas opposer des refus agressifs ou maladroits, vous passeriez vite pour quelqu'un d'antipathique ! Le « non » doit être utilisé à bon escient pour favoriser des échanges authentiques. Les contradictions, les désaccords et les accords possibles permettent une vraie communication, un échange. En fait, savoir dire « non » permet de bien savoir dire « oui » !

BON À SAVOIR : UNE BONNE DOSE DE NARCISSISME...

... ne nuit pas. Le but dans la vie, c'est de pouvoir aimer les autres pour recevoir en retour leur amour. Or, pour aimer les autres, il faut d'abord s'aimer soi-même. Une certaine dose de narcissisme est donc indispensable – entendons-nous bien : un narcissisme positif qui permet d'être en harmonie avec soi-même et non pas celui qui consiste à ne s'occuper que de soi en zappant les autres. Car ceux que l'on appelle vulgairement « narcissiques » sont, en réalité, dans un besoin de reconnaissance perpétuel. Dire : « Je suis la plus belle », c'est en fait hurler : « Aimez-moi ! »

Travaux pratiques

Plusieurs stratégies peuvent vous être utiles, suivant le profil du solliciteur :

Les amis débordés

Munissez-vous d'un téléphone avec affichage des numéros et filtrez vos appels. Laissez-les déposer leur message de détresse sur votre répondeur. Jouez ensuite la fille de l'air : vous pouvez toujours envoyer un petit mot après coup, du type : « Désolée. Débordée en ce moment. Pas pu me libérer. Gros bisous. » Et le tour est joué !

La famille envahissante

Rater un repas de famille n'est pas un crime contre l'humanité ! Ne dites jamais « non », mais semez l'incertitude : « Mamie, je ne sais pas si je pourrai venir dimanche. » À la longue vous risquez d'avoir la paix !

Les dépressives

Elles ont le chic pour se faire plaquer le jour où vous avez prévu une fête avec des amis. Elles vous téléphonent à des heures indues, des larmes dans la voix, et estiment que c'est de votre devoir d'écouter leurs doléances. Leur grande arme, c'est la culpabilisation ; donc, désamorcez tout de suite la bombe. Eh bien, à geignarde, geignarde et demie ! Jouez vous aussi la dépression, appesantissez-vous sur vos malheurs : quand la branche sur laquelle ils comptent est pourrie, les oiseaux de malheur s'envolent à tire-d'aile !

Le patron esclavagiste

Vous craignez de lui dire « non » par peur de perdre votre emploi ? Vos collègues comptent systématiquement sur vous ? Demandez-vous derechef si vous voulez rester dans une entreprise où une épée de Damoclès est constamment suspendue au-dessus de votre tête.

Si vous n'avez pas d'autre solution – certes, il est bien difficile de changer si facilement d'emploi –, il va bien falloir vous accommoder du patron. Quant à vos collègues, adoptez la technique du « oui, mais... » : ils trouveront vite une autre bonne poire.

Pour ne pas vous enrober de « kilo-stress »

Horrible constatation : le stress fait grossir ! Et – il faut bien l'admettre – un peu de stress vous conduit à dévorer une tablette de chocolat, un moment d'anxiété à vous jeter sur le plateau de fromages... Bref, vous répondez à la tension par l'alimentation !

Piètre consolation, vous n'êtes pas la seule, puisque c'est la stratégie adoptée par 60 % de la population. En mangeant, les angoisses se calment et les problèmes sont évacués, du moins momentanément. Manger pour se calmer est une réaction « naturelle », qui devient pathologique dès lors qu'on ne peut plus résoudre ses problèmes et ses angoisses autrement que par la nourriture. Il est vrai que les situations très douloureuses, les tensions extrêmes coupent l'appétit, mais, de manière générale, tous les petits stress poussent plutôt à compenser par la nourriture.

Le résultat ? L'organisme sécrète un flot constant de cortisol, une hormone fabriquée par la glande surrénale, et pas n'importe quelle hormone : puisque le cortisol joue un rôle important dans l'adaptation physiologique de l'organisme au stress et contribue, quand il est produit en excès, à induire un stockage des graisses dans l'abdomen. Une accumulation de graisses qui, en plus d'être disgracieuse, augmente la probabilité de développer une maladie cardiovasculaire ! Pas de doute donc : stress ou silhouette, il faut choisir !

MALHEUREUSE EN AMOUR, KILOS EN TROP

Les femmes confrontées à des problèmes sentimentaux sont plus sujettes au syndrome métabolique qui se manifeste par une obésité, surtout abdominale, une intolérance au gluten, de l'hypertension et des anomalies au niveau des lipides sanguins. L'étude américaine à l'origine de cette conclusion explique également que ce syndrome est un facteur de risque de maladies cardiovasculaires et de diabète.
(*Source* : Cerin, www.cerin.org)

La stratégie de la paresseuse

Puisque le stress fait grossir, la paresseuse convaincue que vous êtes devra adopter une stratégie appropriée sous peine de ne plus rentrer dans son jean.

1. « Je réfrène mon envie de sucre »

Et s'il n'y avait que le chocolat ! Mais il y a aussi le paquet de gâteaux, le cornet de glace et le cortège de glucides qui vous regardent droit dans les yeux en cas de blues. Forcément, la science a prouvé que les glucides, en augmentant la quantité d'insuline dans le sang, permettent de sécréter du tryptophane, un acide aminé qui est transformé en sérotonine. Et comme par hasard, la sérotonine est un neuromédiateur impliqué dans la lutte contre la dépression et l'anxiété. Mais ne vous faites aucune illusion, cette réaction en chaîne nécessite plusieurs heures. Et si les douceurs consolent dans l'immédiat, les bourrelets, eux, s'installent pour de bon !

2. « J'arrête de faire un régime »

Vous êtes une pro du régime ? Eh bien, sachez que plusieurs études ont démontré que les obsédées de la ligne étaient non seulement plus vulnérables au stress, mais qu'elles réagissaient essentiellement en mangeant plus. Plus de quoi ? Mais plus d'aliments gras et sucrés bien sûr ! Libérez-vous donc des diktats du régime, vous serez plus mince, plus heureuse et pourrez vous adonner en toute impunité à votre penchant naturel… la paresse !

3. « Je mange pour rester zen »

Question de choix ! Pour vaincre le stress, l'alimentation peut être une précieuse alliée. Ainsi, certains composants des protéines peuvent aider à fabriquer des neuromédiateurs qui permettent de corriger les déséquilibres liés au stress. De même, certains composés du lait sont de véritables anxiolytiques ! Sans oublier les fameux oméga-3 que l'on trouve dans les poissons gras, et le magnésium dont l'action antistress est connue depuis longtemps.

4. « Je prends le temps de manger »

Laissez le temps à votre cerveau d'enregistrer que vous êtes rassasiée – environ vingt bonnes minutes. Prenez le temps de mastiquer, vous mangerez moins et serez moins ballonnée ; et mangez assise, vous serez plus détendue. Enfin, accordez-vous un bon resto de temps en temps !

5. « Je soigne mon hygiène de vie »

L'hygiène de vie, c'est 1) manger équilibré, 2) s'accorder de bonnes nuits de sommeil, 3) ne pas fumer, 4) ne pas boire trop ou n'importe quoi, et 5) avoir une activité physique. Bref, tout ce que les paresseuses, qui associent les termes « vie saine » à « efforts insurmontables », n'ont pas forcément l'intention de mettre en pratique. Mais au fait, vous avez l'intention de souffler vos 65 bougies appuyée sur une canne ? Si ce n'est pas dans vos intentions, alors il est temps de vous secouer un peu. Rassurez-vous, c'est plus embêtant que difficile : même les plus paresseuses des paresseuses peuvent y arriver.

6. « J'évite les grignotages »

Ou du moins les grignotages intempestifs. Car grignoter pour éviter d'avoir faim peut se révéler fort utile, du moment que vous faites des choix judicieux (*voir chap. 3*). Ne vous précipitez donc pas à la boulangerie du coin ou au distributeur du bureau en cas de petit creux. Pour votre ligne et votre niveau d'énergie, pensez « fruits frais ou secs », « yaourts ou morceau de fromage allégé ».

7. « Je mange des glucides lents »

Vous le savez sans doute, il y a glucides et glucides. Les complexes et les simples, appelés aussi « rapides » et « lents ». Les uns – gâteaux, confiseries, fruits – sont assimilés rapidement par l'organisme ; les autres – féculents, légumineuses, céréales – sont digérés lentement et fournissent une énergie durable. En règle générale, les glucides simples devraient représenter environ la moitié de vos apports énergétiques quotidiens et les glucides complexes devraient faire partie de tous vos repas.

8. « Je limite les excitants »

Café, thé, Cola donnent un coup de fouet provisoire mais masquent la fatigue et, consommés à haute dose, peuvent même créer une véritable dépendance. La caféine, en particulier, produit sur l'organisme une réaction chimique comparable à celle qu'induit le stress : le syndrome du fameux « combattre ou fuir ». Buvez donc plus d'eau !

9. « Je ne noie pas mes angoisses dans la bouteille »

Un petit verre et vous voilà détendue. Deux petits verres et vous voilà transportée d'allégresse et pleine de confiance en vous, enfin... provisoirement. Car il y a de grandes chances que la descente soit brutale, que votre foie se rebelle et que, à la longue, votre peau ressemble à celle d'une vieille pomme. Prenez conscience du mal que vous vous faites et allez voir un psy si vous êtes trop angoissée.

10. « Je fais du sport »

Sortez, courez, marchez... C'est prouvé et archiprouvé : l'activité physique augmente la résistance au stress. Sans compter, bien sûr, les bénéfices à court terme sur la silhouette et à long terme sur la santé (*voir chap. 5*). Toute paresseuse que vous êtes, il est donc dans votre plus grand intérêt de troquer le sofa contre la bicyclette (mais sans vous tuer à la tâche, bien sûr !).

11. « Je renforce les défenses de mon organisme »

À l'aide de vitamines, comme celles du groupe B, qui ont une action sur le système nerveux, en particulier la vitamine B6 (dans les volailles, les légumes verts, le poisson, la banane).

Par des minéraux et oligoéléments comme le magnésium, le phosphore, le cobalt – régulateurs du système nerveux –, le cuivre – compensateur du stress –, le sélénium et le zinc. Un déficit en oligoéléments est responsable d'une baisse de forme, d'une vulnérabilité au stress, d'une diminution de la concentration et de divers autres maux. Morale de l'histoire : ayez une alimentation variée et vous ne devriez pas rencontrer trop de problèmes.

12. « Et je répare les dégâts ! »

Le stress favorise les radicaux libres. Or, les radicaux libres favorisent les défenses de l'organisme quand leur production est équilibrée, mais ils oxydent les cellules et provoquent l'apparition de nombreuses maladies quand leur production est augmentée (par le stress, le tabac, la pollution). Il ne vous reste plus qu'à limiter les risques en misant sur les antioxydants contenus dans des bonnes choses comme les fruits, les légumes, les céréales complètes, l'ail, la viande, les poissons et le germe de blé.

LE MAGNÉSIUM : UN PRÉCIEUX ALLIÉ

Le magnésium améliore l'équilibre nerveux, psychique et émotionnel. Il a de nombreux atouts et une réputation de star des antistress. Mais il répond souvent aux abonnés absents – 20 % des femmes manquent de magnésium. En effet, les aliments riches en magnésium, comme le chocolat et les fruits et légumes secs, sont également lourds en calories ! Bref, si vous êtes d'une humeur de chien, que la pression monte, que la fatigue se fait pesante dès le matin… il est temps de soigner vos apports en magnésium (demandez conseil à votre médecin ou à votre pharmacien).

« MIROIR, MON BEAU MIROIR… »

C'est bête comme chou, mais, selon une étude menée par un psychologue américain, la présence d'un miroir dans la cuisine aide à contrôler sa gourmandise et donc son poids !

Objectif « sérénité »

Restez zen ! Vous pensez avoir tout essayé, mais vous ne parvenez pas à éliminer les tensions de votre quotidien. Pourtant, vous pouvez venir à bout de votre stress. De nouvelles méthodes antistress permettent désormais d'apporter le repos du corps et de l'esprit aux plus tendues. Vous pouvez aussi y parvenir simplement en modifiant vos habitudes, car il faut bien dire que certaines de vos manies ne font rien pour arranger votre état émotionnel et votre anxiété.

Portraits des 10 ennemis de votre bien-être

1. Vous vous levez toujours trop tard

Vous devez être à 9 heures au bureau, et vous vous levez à moins le quart ? Lorsque votre réveil sonne, vous l'éteignez au moins trois fois avant de vous lever ? Résultat : vous êtes obligée de courir tous les matins pour prendre le petit-déjeuner, vous laver et vous habiller en moins de 7 minutes... Stop ! Vous énerver au saut du lit provoque un stress extrême et néfaste !

La solution de la paresseuse : À l'évidence, il faut vous accorder plus de temps le matin pour pouvoir démarrer votre journée en douceur. Si c'est psychologique ou chronique et que vous ne parvenez pas à vous lever plus tôt, changez l'heure de votre radio-réveil pour qu'il avance d'un quart d'heure !

2. Vous vous énervez dans les bouchons

Tous les matins, vous hurlez derrière votre volant contre les chauffards et vous vous énervez dans ces bouchons qui n'en finissent plus. À tous les coups vous allez être en retard alors que vous avez un boulot monstre aujourd'hui !

La solution de la paresseuse : Pourquoi ne pas laisser la voiture au garage et opter pour les transports en commun ? Vous pourrez y lire en toute tranquillité et le temps de trajet est quasiment garanti (non, il n'y a pas grève tous les 15 jours).

Si vous êtes une inconditionnelle de la voiture, essayez le siège massant et calez votre autoradio sur une station de musique classique. Mieux encore, glissez dans votre lecteur CD des enregistrements de sons capturés dans la nature. Pépiements des oiseaux, chants des baleines, bruits de la forêt, sons du ressac et des vagues… tous sont propres à la détente. Et dans les bouchons, n'oubliez pas que la personne devant vous (et celle encore devant) est dans la même situation ! Inutile d'insulter vos compagnons de galère !

3. Vous mangez avec un lance-pierres

À l'heure du déjeuner, vous avez tellement de travail que vous partez acheter un sandwich et revenez le manger en tête à tête avec votre ordinateur. Outre les problèmes nutritionnels qu'un tel comportement engendre, vous ne prenez jamais le temps de faire une véritable pause.

La solution de la paresseuse : Forcez-vous à faire un *break* ! Prenez le temps de quitter votre lieu de travail et de prendre un repas complet. Si vous redoutez de vous retrouver seule face à votre assiette, munissez-vous d'un magazine ou plongez-vous dans votre roman du moment – rien de tel pour décompresser. N'oubliez pas non plus de faire quelques pauses de 5 à 10 minutes dans la journée.

4. Vous acceptez tous les boulots

Vous ne savez pas refuser un travail alors que vous êtes déjà submergée ? Résultat : vous devez courir pour tout boucler dans les temps ?

La solution de la paresseuse : Apprenez à dire « non » (relisez le paragraphe « Comment savoir dire "non" pour mieux savoir dire "oui" ? ») ! Certes, accepter toutes les tâches vous donne des responsabilités et vous permet de montrer que vous êtes une personne sur laquelle on peut compter. Mais vous n'avez plus de temps pour vous et vous êtes toujours le nez dans le guidon. Comprenez que vous n'êtes pas Superwoman et qu'à la longue vous allez finir par craquer !

5. Vous buvez 10 tasses de café par jour

Toutes les heures, vous allez taquiner le distributeur ou la cafetière de service ? Vous avez l'impression que vous ne pouvez pas travailler sans une tasse à côté de vous ?

La solution de la paresseuse : Les excès ne feront que vous énerver un peu plus ! Essayez de diminuer petit à petit votre consommation. Dans le même temps, profitez-en pour réduire le nombre de cigarettes si vous fumez !

6. Votre ordinateur vous persécute

C'est la quatrième fois que votre ordinateur plante ? Vous vous énervez et vous insultez d'abord votre écran, les informaticiens ensuite et pour finir la Terre entière ?

La solution de la paresseuse : Vous l'avez sans doute constaté, hurler ne fait pas redémarrer votre ordinateur. Ces petits bijoux de technologie sont si complexes qu'ils s'emmêlent forcément les pinceaux. Lorsque vous travaillez, enregistrez votre travail toutes les 5 minutes et n'oubliez pas de faire régulièrement des sauvegardes sur CD-Rom. Cela devrait vous rassurer un peu !

7. Vous êtes une couche-tard

Vos soirées « télé » s'éternisent ? Vous ne vous décidez pas à rejoindre les bras de Morphée ? Le pire, c'est que vous savez que vous êtes fatiguée et que vous allez avoir toutes les peines du monde à vous lever le matin...

La solution de la paresseuse : Arrêtez de traîner avant de vous coucher ! La télé stimule et réveille le cerveau. Alors, un conseil : à 22 heures au lit avec un bon bouquin !

8. On vous prend toujours pour une bonne poire

C'est vous qui devez décider du lieu de vos vacances, qui devez organiser le voyage et faire les bagages ? Et une fois sur place, vous n'avez pas une seconde à vous, tout le monde vous sollicite pour faire le barbecue ou aller chercher le pain ?

La solution de la paresseuse : Il est légitime que vous ayez au moins le choix de l'endroit, mais pour le reste – c'est bien simple – répétez toute la journée à qui veut bien l'entendre : « Moi aussi je suis en vacances ! »

9. Vous vous rongez les sangs pour vos enfants

Le simple fait de prendre une baby-sitter pour la soirée vous fait dresser les cheveux sur la tête ? Vous êtes anxieuse dès que vous ne les avez plus sous les yeux ? Pas question de les envoyer dans un centre aéré ou en colonie de vacances ?

La solution de la paresseuse : Détendez-vous ! Inutile de vous inquiéter sans raison. Et puis il faut qu'ils apprennent à se détacher de leurs parents. Vous ne voudriez pas les étouffer à force de trop les couver quand même ?

10. Votre belle-mère ne vous veut pas que du bien

C'est plus fort que vous, elle vous contrarie, elle vous stresse ? Quand vous sacrifiez au repas du dimanche ou au réveillon de Noël, vous stressez quinze jours avant et il vous faut quinze jours supplémentaires pour vous calmer ?

La solution de la paresseuse : Vous ne vous inventeriez pas une épreuve imaginaire par hasard ? Certes, les tensions, cela existe, mais entre adultes responsables, elles n'ont pas de raisons de perdurer. La prochaine fois, allez-y avec plus d'optimisme et vous verrez : les choses devraient s'améliorer !

Les bonnes résolutions de la paresseuse relaxe

1. « Je m'accepte comme je suis »

Et je fais une seule chose à la fois, mais correctement, et je cesse de vouloir tout mener de front. Je n'oublie pas qu'en m'offrant des moments sympas, je suis plus forte ensuite pour affronter les problèmes.

2. « Je ralentis ma respiration »

Et je fixe mon attention sur ma respiration quand je suis stressée pour retrouver une fréquence cardiaque normale et un état émotionnel calme. J'allonge le temps de mes expirations, ma respiration devient profonde, ample et bien rythmée. En un rien de temps je suis plus relaxe.

3. « Je bâille »

Et je retrouve mes capacités de concentration. Je bâille sur commande en inspirant profondément et en écartant grand les mâchoires en expirant

– ce qui me permet de bâiller naturellement au bout de deux ou trois fois et d'évacuer ainsi le stress et la fatigue.

4. « Je libère mon agressivité »

Et j'évacue mon surplus de cortisol, d'adrénaline et de toutes les hormones qui dopent mon organisme et me font perdre mes moyens. Je m'isole quelques minutes et laisse libre cours à mes larmes ou bien je fais quelques pompes pour éliminer mon trop-plein d'énergie.

5. « Je prends le temps »

Et surtout je prends du recul. Je liste mes priorités et je m'y tiens sans me laisser démobiliser par des angoisses qui me paralysent. Je ne me stresse plus pour de petits soucis matériels et je relativise les incidents de parcours.

6. « Je dédramatise »

Et je craque pour des plaisirs tout simples : un morceau de chocolat, une petite heure de sieste, de lecture, de shopping ou de téléphone avec une copine. La vie n'est peut-être pas un long fleuve tranquille, mais ce n'est pas le bagne non plus.

7. « Je me fais du bien »

Et je ne me noie pas dans un verre d'eau. Je m'organise, je fais des listes, je tiens mon agenda et je suis prévoyante. Je prends conscience qu'il faut peu de chose pour me simplifier l'existence.

8. « Je me crée un espace à moi »

Et je cultive un jardin secret où je peux me replier et me ressourcer de temps en temps. Je m'y rends quand la pression extérieure devient trop forte et j'y recharge mes batteries.

9. « J'optimise mon temps »

Et j'accepte de ne pas pouvoir tout faire. Je ne suis pas surhumaine. J'apprends à déléguer et à demander de l'aide sans me sentir coupable.

10. « Je me fais confiance »

Et j'assume mes responsabilités. Je ne cherche ni des excuses ni le bâton pour me faire battre. Je ne fais aucun choix à contrecœur et je défends mes convictions.

11. « Je suis en accord avec moi-même »

Et je reviens à l'essentiel. J'apprends à aimer ce que j'ai, ce que je fais, ce que je suis. Je me recentre sur les miens, ma famille et mes amis. Je leur exprime mon amour.

12. « Je me recentre »

Et je n'ai ni regrets ni remords. Je mesure ma chance d'avoir connu et de connaître des moments heureux. Je vis dans l'instant présent, mais je me nourris du passé pour construire mon avenir.

Les solutions « évasion » de la paresseuse en deux temps, trois mouvements !

Vous disposez de 1 heure

- **Entraînez-vous à ne rien faire**

Moins facile qu'il n'y paraît ! Assise sur votre canapé, à la terrasse d'un café, voire devant votre écran d'ordinateur éteint, laissez vagabonder votre esprit, histoire de vous ressourcer. Commencez par 15 minutes puis augmentez la dose jusqu'à 1 heure.

○ Lisez

Le but : dépasser la page 10 d'un bon roman sans être dérangée. À la maison, quand tout le monde est parti, au square, sur un banc public, dans un café entre midi et deux.

○ Remettez-vous en forme

20 minutes continues d'exercices suffisent à oxygéner le corps, à désencrasser les muscles et à libérer les toxines. Peu ou pas d'idées ? Offrez-vous un bon livre d'exercices !

Vous avez 2 heures

○ Filez au cinoche

Le matin si vous le pouvez, car il y a moins de monde et, en plus, c'est moins cher !

○ Jouez les touristes

Embarquez-vous pour 2 heures dans un des bus qui sillonnent la capitale, prenez des photos des monuments que vous ne connaissez pas et achetez-vous un cornet de glace !

○ Allez chez le coiffeur

Repérez ceux qui pratiquent des massages du cuir chevelu et puis, assise dans un bon fauteuil moelleux, tête légèrement inclinée, fermez les yeux et laissez-vous aller !

Vous avez la demi-journée

○ Faites un gâteau

Pas uniquement pour vous nourrir – ce qui vous renverrait à la case « tâche ménagère » – mais pour le plaisir !

○ Découvrez les bienfaits du spa

Massages, boue autochauffante… on prend soin de votre corps dans un univers savamment dépouillé : une façon fort sympathique de lâcher prise, non ?

○ Riez un bon coup

Rien de tel pour oublier ses soucis ! Et si toutes les occasions sont bonnes à prendre, elles sont aussi bonnes à créer. *Ally McBeal* ou *Desperate Housewives*, à vous de choisir !

Et enfin… une journée « sans »

Sans montre, sans réveille-matin, sans e-mail, sans télé, sans portable, histoire de prouver que vous n'êtes pas esclave de ce qui est censé vous faciliter la vie ! Et profitez-en aussi pour casser la routine et disparaître un week-end avec (ou sans) votre chéri sous le bras !

Les chemins de la « zénitude »

Quand on est stressée, il y a toujours une bonne âme pour vous dire de « décompresser ». Si c'était aussi facile, ça se saurait ! Pourtant, il existe quand même des techniques efficaces qui permettent d'améliorer ses facultés d'adaptation et de réaction, de mieux gérer ses émotions et de planifier ses actions selon ses possibilités. En agissant sur le corps, on agit aussi sur le mental et, pendant que le corps se délie, l'esprit se pacifie (et vice versa) !

La méditation

Le principe

La parfaite solution antistress et une technique simple prouvée par de nombreuses études scientifiques pour soulager divers symptômes, tels que l'anxiété, la tension musculaire ou l'hypertension artérielle. La méditation ne demande pas des années d'entraînement digne d'un moine tibétain. Il est possible de se sentir détendue et plus heureuse en seulement 20 minutes par jour, et ce grâce à une technique simple.

Dans la vie, tout semble conçu pour que nous nous détournions de nous-mêmes : les sens, constamment sollicités, les autres, le travail, la relation amoureuse... – ce qui nous empêche finalement d'être suffisamment attentifs à nos besoins profonds. Or, comprendre cela, c'est comprendre l'intérêt de la méditation.

Méditer signifie « devenir un témoin » : un témoin des pensées, des émotions et des sensations physiques qui sont en soi. La méditation engendre un processus de détachement entre son moi profond et sa personnalité extérieure ainsi qu'un processus de déconditionnement du mental. Elle aide simplement à sortir de ce monde de pensées et d'émotions et à entrer dans un état de silence. En faisant l'expérience du vide et du silence, la vie devient plus harmonieuse ! Vous vous sentez bien, ouverte aux autres, sensible, plus détendue, bref : sur la bonne voie !

La pratique

Deux techniques pour méditer comme une pro :

1. Le regard intérieur

Cette technique de méditation vous permet de vous découvrir de l'intérieur, dans votre monde intime, et d'observer le corps et le mental jusqu'à ce que vous soyez un pur témoin.

Durée : quelques minutes !

Instructions : vous pouvez la faire là, maintenant, sur votre chaise, devant votre ordinateur. Les yeux fermés, vous allez faire l'inventaire de votre organisme, membre par membre, organe par organe. Commencez par un orteil, oubliez le reste, etc. Vous serez séparée de votre corps, car la chose vue n'est jamais l'entité qui voit ; l'observateur est distinct de la chose observée. Ensuite, entrez dans votre tête. Vous découvrirez le mental, l'intellect, les pensées qui ne s'arrêtent jamais. Simplement, observez-les toujours en gardant les yeux fermés sans juger… laissez venir et partir ces pensées… alors vous comprendrez que vous n'êtes pas non plus le mental puisque vous pouvez les observer.

C'est cela la méditation ; et si vous pouvez en faire l'expérience ne serait-ce que quelques minutes, vous comprendrez que vous n'êtes ni le corps ni le mental. Vous êtes juste un témoin.

2. La méditation cathartique

Cette petite méditation amusante et surprenante vous permet de vous débarrasser des tensions du psychisme et de recentrer votre énergie vers l'intérieur.

- **Première étape :** le charabia. Tout en étant assise, fermez vos yeux et commencez à dire n'importe quoi, à baragouiner, à émettre des sons inarticulés, tout son ou mot à condition qu'ils n'aient pas de sens, comme si vous « parliez » dans une langue que vous ne connaissiez pas ! Donnez-vous la peine de faire sortir tout ce qui a besoin d'être exprimé en vous. Jetez tout dehors : colères, angoisses… Le mental pense toujours en termes de mots ; aussi cette technique permet-elle de casser cette habitude. De même, laissez aller votre corps.
- **Seconde étape :** tournez-vous vers l'intérieur. Après quelques minutes de charabia, arrêtez-vous. Restez assise ou allongez-vous de

façon à être étendue sur le dos, complètement immobile et détendue pendant quelques minutes, et laissez-vous aller à « l'immobilité silencieuse ».

DES BIENFAITS RECONNUS

Certains effets de la méditation ont été mesurés en laboratoire : ralentissement du rythme cardiaque, diminution de la tension artérielle, augmentation des ondes cérébrales alpha, jusqu'à la résistance de la peau à un courant électrique ! Sans compter les modifications non négligeables sur la façon d'appréhender la réalité !

Le yoga

Le principe

C'est une technique de relaxation et de connaissance de soi. Originaire d'Inde, cette discipline millénaire propose une approche globale de l'être humain qui prend en compte ses différentes dimensions : physique, émotionnelle et énergétique.

Bien plus qu'une simple gymnastique, le yoga (qui signifie « réunir », « relier » en sanskrit) est une approche globale de la santé. C'est une discipline rigoureuse qui permet de se détacher du stress et de retrouver énergie, sérénité et confiance.

Le yoga travaille l'harmonie entre le corps et l'esprit, pour conduire à la paix intérieure. Le travail porte généralement sur la relaxation, la concentration, la respiration et les postures (appelées *asanas*).

La pratique

Il existe plusieurs formes de yogas mais toutes ont le même but : l'épanouissement et la connaissance de soi, le bien-être physique et psychologique, la sérénité intérieure. Il s'agit toujours d'un parcours individuel, selon ses propres capacités et en toute liberté. Le *hatha-yoga* est le yoga traditionnel le plus répandu en Occident. Il insiste sur le travail corporel, principalement le travail de postures (dont la plus connue est la posture du lotus) et la respiration, sans jamais forcer ses limites.

Les différentes postures permettent de lutter contre l'énervement, les tensions musculaires, la fatigue, le surmenage et l'insomnie. Elles favorisent la concentration et la détente. Ainsi, sur le plan physique, le yoga améliore l'assouplissement et la force musculaire. Il apaise le système nerveux, stimule les fonctions vitales et augmente la vitalité. Il permet d'accéder à une meilleure conscience et à une meilleure acceptation de son propre corps et de soi-même.

Côté psychique, il aide à lutter contre toutes les formes de stress. En apportant détente et sérénité, il permet d'aborder plus positivement les soucis et les problèmes de la vie quotidienne.

« LE YOGA EST-IL FAIT POUR MOI ? »

Peut-on faire du yoga, même si l'on est raide, nerveuse, trop grosse, trop comme ci, trop comme ça ? Absolument car c'est bien souvent un manque de calme, de souplesse qui pousse à chercher un équilibre. L'enseignant saura adapter ses positions à vos capacités et tenir compte de vos points faibles. Votre évolution sera plus ou moins rapide, mais un inconvénient de départ est loin de constituer un empêchement. De plus, l'accompagnement respiratoire qui stabilise l'équilibre nerveux et régénère le tonus profite aux plus paresseuses, petites ou grandes, grosses ou maigres.

La relaxation

Le principe

Elle permet dans un premier temps de se maîtriser en situation. Il s'agit de provoquer des « crises de calme » lorsque c'est nécessaire. Ainsi, lors d'une agression verbale, il doit être possible de gérer calmement la situation, afin d'éviter l'escalade, et ainsi mieux se défendre. On utilise alors ce que l'on appelle « une méthode de relaxation rapide », pour mettre en place un réflexe de relaxation quasi instantané dans les situations délicates.

Très logiquement, la relaxation permet aussi d'améliorer la qualité du repos, que ce soit le sommeil, la sieste, ou 5 minutes prises dans la journée pour recharger ses batteries. On récupère mieux et plus vite lorsque l'on est relaxée. La relaxation peut en outre être intégrée dans un programme de gestion du stress plus complet ou bien être utilisée de manière différentielle : mise au repos de tous les muscles et de toutes les fonctions non concernées par l'action. Par exemple, une personne tapant sur un clavier d'ordinateur peut détendre tout ce qui dans son corps n'est pas concerné directement par la frappe du texte – ce qui améliore l'efficacité, diminue la fatigue et prévient les douleurs lombaires et les céphalées de tension.

La pratique

C'est vrai, les plus stressées refusent souvent de considérer la relaxation comme une pratique qui pourrait leur être bénéfique. Ainsi, pour exprimer leur stress, elles n'emploient que deux émotions : angoisse ou colère. Et bien souvent elles choisissent la seconde option. Pourtant, la relaxation est une troisième voie, qui leur apporterait une nouvelle alternative : le calme !

La relaxation a fait directement la preuve de son efficacité pour nombre de pathologies comme les acouphènes, les douleurs musculaires, les syndromes douloureux chroniques, les troubles du sommeil, les troubles anxieux, les syndromes irritables. Ses effets ont été mesurés par de nombreuses études : plus d'efficacité, une meilleure santé, et une meilleure qualité de vie relationnelle. De plus, par un entraînement régulier, la relaxation devient un apprentissage que l'on ne perd pas ; elle devient même une habitude, et comme le disait déjà Aristote : « Les habitudes sont une seconde nature » !

ZZZZZZ...

La sieste permet de rattraper le sommeil en retard. De nombreuses expériences ont montré que l'on s'endort rapidement entre 13 h et 17 h – période correspondant à une vigilance naturellement diminuée. Le fameux coup de pompe de l'après-midi n'est pas dû à la digestion (un repas lourd n'arrange rien bien sûr), il provient de signaux cérébraux. Une bonne sieste correspond à un cycle de sommeil complet (60 à 100 minutes environ). Mais un somme de 20 minutes est également réparateur, il améliore la vigilance pendant 2 heures environ.

MOINS ON DORT, PLUS ON MANGE

Le manque de sommeil stimule l'appétit et diminue la sensation de satiété, ont conclu deux études américaines. Or, nous dormons 2 heures de moins qu'il y a 50 ans. À vous d'en tirer les conclusions !

La sophrologie

Le principe

La sophrologie consiste, en utilisant différentes techniques de respiration et de visualisation, à atteindre un état de « conscience modifiée ». Le but est de faire communiquer les deux hémisphères cérébraux : le gauche (siège du conscient, de la logique, du raisonnement) et le droit (siège de l'inconscient, de l'émotion, de la création et de l'intuition). Pendant une séance, vous allez puiser dans votre mémoire inconsciente les informations nécessaires pour comprendre la personne que vous êtes aujourd'hui. Vous pourrez de même dicter à votre inconscient de nouveaux messages qui supplanteront les images négatives.

La pratique

Allongée sur le sol, seule ou en groupe, au son d'une musique relaxante, vous commencez par pratiquer une respiration abdominale qui évacue les tensions. Puis, guidée par les paroles du sophrologue, tout votre corps se détend. Quand votre cerveau se situe entre veille et sommeil, le sophrologue vous aide à visualiser ce que vous souhaitez transformer dans votre vie. À la fin de la séance, qui dure environ 45 minutes, vous vous redressez avec des mouvements lents.

Dès la première séance, vous vous sentez totalement détendue et vous éprouvez un bien-être intérieur. Au fil des séances, vous apprenez à comprendre vos émotions pour mieux les maîtriser et reprendre confiance en vous.

PLEXUS SOLAIRE

Les jours de grande tension, massez votre plexus solaire (le petit creux situé entre les deux seins), dans le sens des aiguilles d'une montre, avec une goutte d'huile essentielle de lavande.

Et si la paresse était le meilleur remède contre le stress ?

Ce n'est pas une paresseuse qui dirait le contraire ! Alors, au diable les impératifs, cessez donc de courir en tous sens ! Que les réfractaires au culte de la performance jettent aux orties l'idée même d'être toujours au top ! La paresse est encore le meilleur remède contre le stress... Il est temps de chasser la fatigue et de recharger vos batteries !

L'art de ne rien faire

Vous rêvez de rester pelotonnée au fond de votre lit un lundi matin pluvieux et froid, plutôt que de reprendre le chemin du travail ? Vous avez envie, par un bel après-midi ensoleillé, de flâner à la terrasse d'un café au lieu de retrouver la figure grincheuse de votre chef de service ou une pile rebutante de paperasseries ? Vous vous dites qu'il serait fort agréable de traîner à la maison avec de bons vieux disques ou quelques romans ? Eh bien, réalisez vos souhaits... durant le week-end !

Le repos est essentiel pour oublier la fatigue, se changer les idées et retrouver le moral. Vouloir à tout prix rentabiliser RTT et week-ends, multiplier les activités pendant vos loisirs, ce n'est pas forcément une bonne idée. Et si vous appreniez à lever le pied ? L'astuce : adonnez-vous au farniente, sachez « buller » quand il le faut ! Au moins une journée entière de votre week-end. Vous consacrerez l'autre à ce qui vous passionne vraiment – un autre bon moyen de vous détendre.

LES TRUCS DE PARESSEUSE POUR BULLER EXPRESS

- **Avoir toujours une balle de golf pour la faire rouler incognito sous la plante des pieds au bureau, en réunion ou au ciné.**

- **Filer à la piscine et nager à ciel ouvert dès que c'est possible, même en ville : vous vous croirez déjà en vacances.**
- **Enlever vos habits dès que vous rentrez chez vous : c'est comme une armure que vous déposez.**
- **Allumer une chaîne de télé espagnole ou américaine pour déconnecter en 10 secondes.**

Ne jurez que par la lenteur

Peut-être fallait-il courir après le temps sans jamais le rattraper, pour se rappeler, avec les philosophes de l'Antiquité grecque et romaine, que le repos fait partie de la vie ? Paul Lafargue, dans son fameux pamphlet *Le Droit à la paresse*, dénonçait déjà, au XIXe siècle, la dérive de nos sociétés occidentales acharnées à célébrer le culte du travail. Et si ralentir son rythme de vie n'est pas si simple, un peu d'imagination vous permettra de sortir de la spirale des week-ends frénétiques !

Pourquoi faut-il à tout prix que vous voyagiez vite, que vous mangiez vite, que vous viviez vite ? Apprenez donc la lenteur. Et si vous preniez le métro, le train ou le bus suivants, histoire de flâner avant de rentrer préparer le dîner ? Ou même, pourquoi ne pas vous déplacer à pied, en vélo ou en rollers ? Pourquoi ne pas renoncer au café et à la cigarette s'ils ne servent qu'à vous stimuler ? Si vous cessiez de vous essouffler pour gagner un quart d'heure par-ci, cinq minutes par-là ?

Supprimez de votre planning quelques rendez-vous, vous n'aurez que plus de plaisir à rencontrer vos amis ! Faites une vraie pause pour le déjeuner et éteignez votre portable, vous ne serez plus importunée en plein repas et vous vous relaxerez vraiment. Les solutions ne manquent pas, à vous de les imaginer. Et tant pis si votre patron, votre mari ou vos enfants vous trouvent un peu moins efficace, ces jours-ci ! Car, dans quelque temps, devant votre indéfectible sourire, ils vous réclameront votre recette antistress !

Nagez pour noyer votre stress

Il faut parfois se jeter à l'eau ! Plongez dans un bain de vapeur ou piquez une tête à la piscine pour libérer vos tensions et éliminer les toxines qui martyrisent votre corps. Car, conformément à la fameuse poussée d'Archimède, le corps semble plus léger dans l'eau et les exercices sont plus faciles qu'en salle, d'autant que la résistance de l'eau en décuple l'efficacité. La natation ne sollicite ni le squelette, ni les articulations, évitant toute douleur, courbature, voire blessure. Au contraire, tonique en douceur, la natation raffermit et allonge tous les muscles du corps (à vous le corps de sirène !) ; elle entretient la souplesse et le tonus. Enfin, bienfaisante, l'eau stimule la circulation en effectuant des micromassages sur les rondeurs et points sensibles. Très apaisante, elle permet de noyer le stress.

Au niveau du biorythme, nous sommes plutôt faits pour nous activer le matin et nous reposer le soir. Mais à chacune son horloge biologique et professionnelle. Nager entre midi et deux (vous déjeunerez après) redonne un coup de fouet. Entre 17 h et 19 h, cela déstresse et agit comme un coupe-faim évitant le grignotage d'avant-dîner.

Offrez-vous un hammam !

Si vous avez tout essayé pour vous décontracter et qu'aucune méthode ne fonctionne, il est temps de courir au hammam. Pour vous libérer des tensions musculaires et des toxines qui martyrisent votre corps, plongez dans un bain de vapeur.

Avant d'entrer dans le hammam, commencez par prendre une douche. Elle deviendra votre rituel d'accès à la détente et initiera votre corps à l'univers de l'eau. Ensuite, ouvrez la porte et laissez-vous surprendre par l'intensité de la chaleur. Les plus contractées n'y résisteront pas : une vapeur à 50 °C saturée à 100 % d'humidité favorise le relâchement du tonus musculaire.

Une fois dans la première salle, asseyez-vous ou allongez-vous sur un banc de pierre et prenez le temps de découvrir le décor. C'est une excellente manière de faire le vide et d'oublier progressivement les soucis de la journée. Tapissé de somptueux carrelages aux motifs orientaux ou romains, le hammam invite à la relaxation. Il y fait chaud, mais cette chaleur humide est facilement supportable. Ici, l'on reprend goût au calme, on fait connaissance avec soi, on s'écoute, on se laisse vivre...

Après quelques minutes de repos, passez dans la seconde salle. La vapeur y est plus dense et il y fait beaucoup plus chaud. À cette étape du soin, la sensation de détente musculaire est véritablement perceptible. Le but du hammam n'est pas de transpirer mais de détendre et de nettoyer la peau. Il permet aussi d'éliminer les toxines de l'organisme grâce à l'air saturé en humidité. Sous la chape de vapeur, le corps ramolli sombre dans une chaleureuse léthargie. Pour éviter de vous endormir, ressortez régulièrement et rafraîchissez-vous sous la douche ou plongez-vous dans un bassin d'eau froide si le hammam en est équipé. Le hammam est aussi un lieu où chacun prend soin de son corps ; soyez de celles qui y vont avec tout le matériel nécessaire : brosses, gant de crin, savon noir, henné, huiles, gommages, etc.

UN SPA CHEZ SOI

Pas le temps d'aller vous faire pomponner ? Aux grands maux les grands remèdes : transformez votre *home sweet home* en spa pour une relaxation maxi.

- **Décidez de l'endroit que vous allez transformer en temple des sens : une salle de bains ou une chambre sont particulièrement indiquées.**
- **Débarrassez-vous de tous les bibelots qui vous encombrent la vue et la vie.**
- **Décorez le lieu avec un bouquet de fleurs fraîches.**
- **Utilisez un diffuseur d'huiles essentielles aux parfums envoûtants.**
- **Écoutez un CD des bruits de la nature (vagues s'échouant sur les rochers, oiseaux dans la forêt...).**

Pratiquer le taï chi chuan

Le taï chi chuan est une discipline pratiquée depuis des siècles en Chine, mais c'est aussi l'art martial le plus pratiqué dans le monde. Il aurait été inventé par un moine qui observait un combat entre un oiseau et un serpent. Il consiste en un savant mélange de gestes et de postures à réaliser en les enchaînant, évoquant à la fois une danse et un combat au ralenti. Le principe est simple. Il s'agit d'effectuer des gestes lents et souples. Les enchaînements peuvent parfois comporter jusqu'à 100 mouvements différents ! La respiration est également au centre des exercices ; elle doit être lente et profonde. Contrairement à ce que l'on peut croire, les mouvements ne sont pas aléatoires, ils sont codifiés et les enchaînements font partie de l'enseignement.

Le taï chi chuan faciliterait la circulation de l'énergie corporelle au sein de notre organisme. Or, toujours selon ces préceptes, c'est lorsque le chi (« l'énergie ») se retrouve bloqué que nous tombons malades. Cette activité jouerait donc un rôle préventif.

Si les effets du taï chi chuan sur le chi restent peu étudiés scientifiquement, les bienfaits de cette gymnastique sont réels. Les enchaînements de mouvements développent à la fois votre souplesse et votre coordination, et, de manière générale, augmentent votre dynamisme. De plus, les techniques respiratoires et les mouvements souples vous permettront d'atteindre une relaxation profonde. Car le taï chi chuan est une méthode éprouvée pour gérer le stress et retrouver le calme, et il est d'autant plus efficace si les mouvements sont pratiqués en plein air. Certains prétendent également qu'il aurait des vertus sur le système immunitaire. Mais rien n'a jamais été prouvé en la matière...

À GORGE DÉPLOYÉE

Tout le monde peut chanter ! Et pourquoi pas dans une chorale ? Pas besoin d'être une pro pour être à l'aise et apprécier les bienfaits physiques et psychiques du chant. Convivial et motivant, le chant agit comme un excellent remède contre le stress, l'angoisse, la solitude et l'ennui.

VINGT FAÇONS DE RESTER ZEN EN TOUTES CIRCONSTANCES

1. Ne vous prenez pas la tête...

... avec des repas élaborés, quand vous n'avez pas le temps. Si vous recevez des amis, dites-leur tout simplement que vous avez prévu une salade ou un plat unique comme une fondue, par exemple. Sinon, pourquoi ne pas les faire participer à la préparation de la fête : convivialité assurée !

2. Mangez équilibré

Faites des repas légers mais nourrissants. Une salade, une protéine (viande, poisson, œuf, soja), un légume vert et un fruit si besoin. Voilà de quoi vous détendre et vous nourrir.

3. Mettez-vous au vert

Pensez aux plantes. Celles qui soulagent l'angoisse, comme la mélisse ou le millepertuis, et celles qui font dormir, comme le tilleul, la valériane, l'aubépine ou la camomille en tisane ou en extrait.

4. Éteignez la télé !

Inutile de vous polluer l'esprit avec des images de violence et des nouvelles désastreuses sans cesse rabâchées par les médias.

5. Ne faites pas l'autruche

Affrontez ce qui vous angoisse et vous verrez que le fait d'agir ou de commencer à agir atténue votre anxiété et votre stress.

6. Apprenez à respirer

Quand on est stressée, la respiration se bloque. Accordez-vous chaque jour quelques instants pour prendre conscience de votre respiration et vous efforcer à inspirer et à expirer par le ventre. Ainsi retrouverez-vous le contrôle de vos émotions et la sérénité intérieure.

7. Souriez !

Si vous n'êtes pas d'humeur, eh bien, bluffez votre cerveau en vous efforçant de sourire ou en faisant la grimace. Vous déclencherez une production d'endorphine, une hormone euphorisante.

8. Riez !

Un bon rire de gorge est non seulement un euphorisant mais aussi un excellent moyen d'évacuer le stress. Entre autres avantages, rire à gorge déployée fait travailler les muscles du visage, du cou, du torse, des épaules, des bras et des jambes !

9. Rugissez !

La moutarde vous monte au nez ? Trouvez un coin tranquille et rugissez ! Un bon rugissement fortifie et détend la langue, les mâchoires, les lèvres, la poitrine et les muscles faciaux, libérant ainsi l'agressivité qui est en vous.

10. Dormez !

Si le stress vous empêche de dormir, sachez aussi qu'il s'accumule si vous manquez de sommeil. Essayez les tisanes et /ou de vous coucher avant 22 h en évitant la télé, car la succession d'images diffusées excite et réveille votre cerveau !

11. Faites la grasse matinée !

Prévoyez une grasse matinée de temps en temps, durant laquelle votre conjoint s'occupera des enfants.

12. Jouez les couleurs !

Elles influencent le psychisme. Par exemple, si vous êtes anxieuse, entourez-vous et habillez-vous en orange. Si vous vous repliez sur vous-même, si vous vous sentez découragée ou si vous dormez mal, pensez au vert.

13. Evacuez...

... votre tension physique et mentale due aux longues heures passées devant l'écran de votre ordinateur, en pratiquant régulièrement de la relaxation, des étirements et des exercices oculaires.

14. Gérez « leur » temps

Faites participer votre conjoint et vos enfants aux tâches ménagères. Mettre le couvert ou vider le lave-vaisselle n'a jamais tué personne !

15. Faites-vous livrer

Pensez à faire livrer vos courses : cela vous évitera de monter vos cinq étages les bras chargés de packs de lait et de barils de lessive.

16. Apprenez à vos enfants...

... à être autonomes : plus vous en faites pour eux, moins ils en feront par eux-mêmes. Apprenez- leur à se laver, s'habiller, à se préparer leur petit-déjeuner et, pourquoi pas ? de temps en temps, le vôtre...

17. Faites-vous plaisir

À l'heure du déjeuner, prenez la poudre d'escampette et partagez votre repas, hors du lieu de travail, avec des gens que vous appréciez. Le soir, faites un petit *break* avant de rentrer chez vous : promenez-vous, allez voir une expo, faites un peu de shopping...

18. Cultivez...

... une ambiance familiale et sociale harmonieuse. Ne rejetez pas toujours la faute sur les autres : les rapports avec votre entourage sont de votre responsabilité.

19. Détendez-vous

L'exercice physique (marche, gymnastique, yoga, stretching, sauna...) est essentiel pour diminuer les effets du stress.

20. Créez l'ambiance

Après une journée marathon, vous n'avez qu'une envie : vous affaler dans le canapé ? Faites une coupure pour vous concentrer uniquement sur vous-même. 5 minutes les yeux fermés, dans le noir, loin du bruit. Et si votre famille s'abstient de vous réclamer à cor et à cri, accordez-vous un bain aux plantes, avec des bougies, de l'encens, des huiles essentielles, de la musique, bref : tout l'attirail de la parfaite relaxation, en seulement 20 minutes.

chapitre 2

Comment manger intelligemment

Manger équilibré ? D'accord ! Mais le plaisir dans tout ça ?

La nourriture est votre drogue préférée ? Eh bien, finie la bonne résolution d'antan : « Demain je commence un régime ! » Finie la loi du tout ou rien ! Il est temps d'arrêter de manger plus que de raison et de sélectionner ce que vous mettez dans votre bouche si vous voulez avoir une chance d'être ENFIN mince et en bonne santé. Car, cellulite, culotte de cheval, petit bedon, et rondeurs en excès vous classent d'office dans le camp de celles qui font plus pitié qu'envie. Soyons réaliste : le gras n'est pas sexy et la graisse pleine d'élégance n'existe pas vraiment.

BON À SAVOIR : NE VOUS TROMPEZ PAS DE PROBLÈME

Selon les scientifiques, 95 % des surcharges pondérales ont une cause émotionnelle. C'est le cas quand la nourriture devient, au choix : un substitut à l'amour, une distraction ou encore un remède contre la colère, un état dépressif, le stress, l'ennui… Il est important que vous appreniez à identifier vos comportements émotionnels pour trouver la solution la plus adaptée à votre problème de « grosse » mangeuse.

Vous n'êtes pas une grosse mangeuse ?

Mais vos bonnes résolutions du 1er janvier disparaissent aussi vite que les bulles du champagne ? Eh bien, peut-être qu'il est grand temps de faire quelque chose.

Souvenez-vous, d'abord, que le pouvoir de la volonté, à lui tout seul, ne peut pas compenser des millions d'années d'évolution – n'avons-nous pas été programmées pour survivre et manger tout ce qui nous tombait sous la dent ? Au lieu d'essayer de changer la théorie de l'évolution de l'homme, changez plutôt vos habitudes et votre environnement et puisez vos ressources dans la connaissance de vous-même et, accessoirement, de la diététique.

Bien manger, c'est comme se frayer un chemin dans la jungle : le parcours est semé d'obstacles qu'il faut franchir, de serpents qui rampent et qui vous agrippent les chevilles sur le chemin du boulot (pizzas ou quiches lorraines) ou dans votre propre frigo (glaces ou fromages savoureux). Quelle que soit votre motivation, tout semble fait pour vous faire flancher à la moindre occasion. Malgré tout, vous pouvez prendre le contrôle des opérations et adopter un mode de vie plus sain sans faire un effort considérable. Suivez le guide…

Qui perd gagne !

Ne seriez-vous pas, par hasard, comme les enfants qui trouvent toutes les bonnes excuses pour ne pas faire leurs devoirs ? Ce qui suit vous rappelle-t-il quelque chose ? Un petit tour d'horizon pour en finir avec les « bonnes » excuses !

Les excuses « santé »

- « Je n'ai pas eu ma dose de calcium aujourd'hui, je ferais bien de manger du fromage. »
- « J'ai mal à l'estomac, je ferais bien de manger quelque chose. »
- « Je ressens une faim intolérable, une impression de malaise. Si je ne mange pas, je vais perdre connaissance. »

Les excuses « De toute façon... »

- « De toute façon, je ne serai jamais mince. »
- « J'ai trimé aujourd'hui, j'ai besoin de prendre du bon temps. »

Les excuses « C'est la faute à... »

- « Mon mari n'aime pas que je me surveille, on ne peut pas dîner dans son restaurant favori. »
- « On m'aime comme je suis. »

Les excuses du soir

- « Je dors mieux quand j'ai l'estomac plein. »
- « Je n'ai pas envie d'être affamée au réveil. »

Les excuses « fêtes »

- « C'est mon anniversaire. »
- « C'est la veille de mon anniversaire. »
- « C'est l'anniversaire de ma copine. »
- « On est vendredi (ou samedi, ou dimanche !). »

Les excuses « victime »

- « C'est pas juste, je suis la seule de ma famille à devoir surveiller ce qu'elle mange. »
- « J'ai un métabolisme lent. »
- « J'ai eu une "contrariété" et je mange pour oublier. »
- « Je mange pour me punir. »

Les excuses de circonstance

- « J'ai du travail à faire et j'ai besoin de manger pour parvenir à me concentrer. »
- « Les émotions fortes, le bonheur comme le malheur, me font manger. »
- « Je mange pour lutter contre mon anxiété ou une sensation de malaise général. »
- « Je mange dans les moments d'ennui, de vide. »
- « Je mange pour faire plaisir / pour ne pas peiner quelqu'un qui m'invite à dîner / pour participer à l'ambiance générale. »
- « Je mange par révolte, lorsque je subis trop de contraintes. »
- « Je mange pour m'opposer à quelqu'un (mon conjoint, un parent, mon médecin) qui voudrait me faire maigrir et qui surveille ce que je mange. »

VOS EXCUSES PRÉFÉRÉES

C'est quoi au juste ? Mettez-les par écrit, car plus vous serez consciente de ce que vous vous racontez pour justifier vos écarts, moins vous aurez de chances de jouer à ce petit jeu !

La paresseuse qui a tout bon

- Elle est plus attentive aux étiquettes des produits qu'elle achète dans le commerce.
- Elle limite les viennoiseries (salées ou sucrées), les sandwiches et les pizzas, beaucoup trop gras.
- Elle préfère les crudités non assaisonnées : ça lui permet de doser sa vinaigrette.

- Elle augmente sa consommation de fruits et de légumes frais pour s'assurer un capital « santé » et une bonne mine toute l'année. Elle en mange 5 à 10 par jour.
- Elle mange des céréales qui lui permettent de « tenir » et d'apprécier encore plus le repas suivant.
- Elle ajoute un filet d'huile pour cuisiner ou une petite dose de vinaigrette sur les crudités pour couvrir ses besoins en acides gras essentiels.
- Elle choisit un morceau de fromage ou un yaourt pour le dessert, mais pas les deux.
- Elle ne grignote pas de produits sucrés en dehors des repas.

La paresseuse qui a tout faux

- Elle choisit trop souvent des aliments ou des plats riches en calories, qui, sous un faible volume, apportent beaucoup de sucres et de graisses, et qui ne sont par ailleurs pas rassasiants.
- Elle ne mange pas assez de féculents, de légumes, de laitages et de graisses essentielles. Malgré une abondance de calories, elle est victime de carences nutritionnelles.
- Elle se restreint trop en semaine, pour mieux s'empiffrer le week-end.
- Elle ne consomme des fruits que sous forme de jus, et ne consomme donc pas assez de fibres, de vitamines et de minéraux.

MINE DE RIEN

Si, au cours d'une journée, vous consommez 1 verre de jus d'orange, 2 tasses de thé ou de café (avec 1 sucre), 1 demi de bière et 1 canette de soda, dites-vous bien que vous aurez avalé l'équivalent d'une choucroute ou d'un couscous.

Vous mangez sans en avoir envie

Peu nombreuses sont les paresseuses qui avouent qu'elles mangent trop, trop souvent, trop vite et très mal. En vérité, il n'est pas toujours facile de faire part de ses petites faiblesses, de son manque de rigueur et de ses grosses erreurs. Et puis, il y a toujours des milliers de raisons de s'offrir des petites compensations. Ajoutez à cela le manque de discernement entre ce qui est bon et mauvais pour son corps, les vraies et les fausses idées, les régimes miracles, les attrape-nigauds... cela donne une paresseuse en lutte permanente pour garder la ligne et qui, à force de se priver de manger, craque et mange encore plus.

Stop ! Nous avons tendance à oublier ce qui est essentiel : s'alimenter, c'est avant tout répondre à un besoin physiologique, apporter à l'organisme l'énergie dont il a besoin. Et vous savez bien que la satisfaction de ce besoin biologique est une source de bien-être et de réconfort – même un simple morceau de pain quand on est affamée procure un intense plaisir. Quant aux repas, ils permettent la construction de liens sociaux avec tout le pouvoir emblématique qui est conféré à l'alimentation. Un comportement alimentaire « normal » intègre harmonieusement ces trois aspects : le besoin biologique, le plaisir et la sociabilité.

La théorie c'est bien, mais dans la pratique on mange trop souvent sans en avoir envie, par habitude (on mange parce que c'est l'heure), par ennui, sous l'effet du stress, par déprime et moins souvent par gourmandise ou par nécessité. Selon les statistiques, 47 % des Français mangent sans avoir faim, mais ils ne sont en revanche que 20 % à faire l'amour sans en avoir envie ! Édifiant dans les deux cas !

« Manger normalement », c'est quoi ? C'est avant tout ne pas faire n'importe quoi et adopter une attitude plus souple face à l'alimentation. Manger pour noyer votre chagrin quand Jules vous quitte, ou quand votre patron ne reconnait pas votre génie, est une très grossière erreur. Inutile, en effet, de vous enfoncer la tête encore plus sous l'eau et de vous rajouter quelques kilos mal placés ; vous auriez alors de sérieuses raisons de ne pas avoir le moral !

5 trucs de paresseuse pour tromper votre appétit au cas où...

1. N'attendez jamais d'avoir l'estomac dans les talons pour manger.

2. Serrez-vous la ceinture, au sens propre, et ne la desserrez pas au cours du repas !

3. Une demi-heure avant de vous mettre à table, mangez un fruit. Le sucre qu'il contient calmera le besoin en calories de votre organisme.

4. Juste avant de manger, buvez un grand verre d'eau fraîche ; cela vous calera l'estomac et vous ne ressentirez plus le besoin de trop manger.

5. Avant une invitation à dîner, consommez une soupe ou un bouillon, vous ne dînerez que plus légèrement.

LES LENDEMAINS DE FÊTE

Pour réparer les dégâts et laisser votre organisme surchargé se reposer un peu le lendemain d'un repas trop riche :

- **Le matin, prenez 1 yaourt nature avec 3 c. à s. de céréales et 1 c. à s. de raisins secs agrémenté d'un fruit, du thé ou du café.**
- **À midi et le soir, préparez un potage de légumes non mixés avec des pommes de terre en robe des champs et 1 c. à s.. de crème fraîche allégée.**
- **Buvez beaucoup d'eau toute la journée.**

La meilleure façon de manger

Pour ne pas devenir une paresseuse à l'alimentation anarchique et aux courbes dignes de Rubens, posez-vous les bonnes questions et adoptez – encore – quelques bonnes résolutions !

Les 10 bonnes résolutions de la paresseuse qui veut garder une jolie silhouette

1. « Mon corps je respecterai »

Tout ce que vous faites a une action directe sur votre corps, même votre façon de penser. En toutes choses, fuyez les extrêmes, du type « Tant pis, j'ai commencé, je continue à m'empiffrer ». Apprenez à manger à votre faim, ni plus, ni moins ! De même, ne jetez pas vos bonnes résolutions aux orties quand vous avez manqué un cours de gym. Traitez votre corps comme une personne qui a droit à quelques égards !

2. « De façon variée et modérée je mangerai »

Il ne s'agit pas de vous affamer mais d'écouter votre corps et de manger à votre faim. Pour s'épanouir, votre organisme a besoin de la plus grande diversité possible, il doit pouvoir puiser toutes les vitamines et sels minéraux indispensables à votre santé. Tous les aliments sont donc nécessaires à condition de bien les choisir, les cuisiner et les consommer avec mesure !

3. « Le grignotage je bannirai »

Et pour ce faire, rien de tel que d'honorer les trois repas quotidiens. Si vous sautez un repas, vous devrez faire face à une fringale soudaine à laquelle il vous sera bien difficile de résister (vous en saurez plus dans le chapitre suivant).

4. « Convenablement je m'hydraterai »

De l'eau, de l'eau, de l'eau... vous avez besoin de boire au moins 1 litre et demi d'eau par jour. Elle vous apporte des sels minéraux, aide vos tissus à restituer leur teneur en eau, draine et élimine les toxines, et lutte contre la constipation. En plus, en cas de petit creux, rien de mieux qu'un grand verre d'eau ou un thé léger pour calmer ses velléités.

5. « Une bonne digestion je favoriserai »

Si vous voulez éviter les sensations de ballonnements et de pesanteur désagréables et avoir un joli teint et un ventre plat, la recette est simple : 1) consommez une nourriture fraîche, variée et équilibrée, 2) mangez dans le calme, 3) prenez le temps de mâcher, et 4) hydratez-vous au maximum.

6. « Ma circulation sanguine je stimulerai »

Rien de tel que les massages pour activer la circulation et drainer les toxines. Ils aident à garder les jambes fines, à raffermir les tissus et à entretenir l'élasticité de la peau. Si vous n'avez pas beaucoup de temps devant vous, frictionnez-vous sous la douche et tonifiez votre épiderme en alternant eau chaude et eau froide. Enfin, n'ayez pas peur de sortir par tous les temps, marchez, bougez, courez, dansez et... riez !

7. « Une activité physique régulière je pratiquerai »

Il n'y a rien de mieux pour brûler vos calories en excès et galber joliment vos muscles en réduisant votre masse grasse. N'oubliez pas que plus vous êtes musclée, plus vous brûlez de calories, même au repos. De plus, contrairement aux idées reçues, l'exercice physique n'augmente pas la faim, mais permet de produire des endorphines qui régulent l'appétit.

8. « Le temps de m'occuper de moi je prendrai »

Dans la vie, on n'a pas le temps de tout faire. Si l'on souhaite rester ou devenir mince, il faut s'accorder un minimum de temps pour soi. Établir des menus, faire les courses adéquates, cuisiner diététique, faire du sport, aller en institut, se frictionner au gant de crin, tout cela demande un peu d'organisation et d'égoïsme !

9. « Inflexible je serai »

Il n'y a pas de secret : tenir ses bonnes résolutions demande de la motivation et un effort de volonté, surtout au départ. Maîtriser son alimentation, pratiquer régulièrement et sans faillir une activité physique, organiser son temps demande de la détermination. On est toutes dotées de volonté ; reste à savoir si elle est forte ou non.

Dans le cas où la vôtre serait faillible, vous pouvez toujours la renforcer en définissant un objectif dans les limites du raisonnable, en procédant par étapes et en commençant par vous fixer de petits objectifs simples, faciles à réaliser, que vous modifierez à mesure de vos progrès.

10. « Mon jardin secret je cultiverai »

Vous occuper de votre petit corps ne doit pas vous empêcher d'avoir une passion ou un loisir quelconque. Peindre, jouer au Scrabble, courir les musées, broder, danser... participent à un équilibre vital qu'il ne faut pas négliger !

500 G, C'EST VITE PRIS !

Pour une femme, on estime que les besoins énergétiques se situent aux alentours de 2 000 Kcal par jour (c'est un maximum, surtout si vous n'êtes pas sportive). Si vous ajoutez à cela seulement 3 500 Kcal par semaine, votre poids augmentera de 500 g (par semaine !). Ainsi, 1 verre d'alcool, en plus de vos menus habituels, se traduira par... 5 kg de plus au bout de 1 an !

Le guide des bonnes pratiques alimentaires

Adopter de bonnes habitudes alimentaires, c'est à la fois garantir le bon fonctionnement de votre organisme, mais aussi maintenir un poids normal stable. Une alimentation saine et équilibrée repose sur des notions simples faisant appel au bon sens : l'équilibre, la variété et la modération.

Soyez patiente

L'équilibre alimentaire ne se fait pas que sur un plat, ni même sur un repas ! Il s'effectue sur une journée entière, voire sur la semaine. Si vous mangez trop ou trop peu lors d'un repas, vous pouvez très bien rétablir l'équilibre au repas suivant. Alors, en cas d'excès, n'en faites plus tout un plat ! N'oubliez pas que manger est avant tout un plaisir et un moyen de s'assurer une bonne santé !

Soyez calée

Des calories aux aliments, un peu de théorie ne vous ferait pas de mal. Sachez d'abord que les apports caloriques recommandés dépendent du sexe, de l'âge et du niveau d'activité physique. Quelle que soit la quantité de ces calories, on recommande d'apporter :

- 50 à 55 % de l'énergie sous forme de **glucides** (1 g de glucides = 4 Kcal) ;
- 30 à 35 % sous forme de **lipides** (1 g de lipides = 9 Kcal) ;
- 10 à 15 % sous forme de **protéines** (1 g de protéines = 4 Kcal).

Mais aucun aliment ne contient tout ce qui vous est nécessaire en protéines, glucides, lipides, vitamines et minéraux, de même qu'aucun aliment n'est à proscrire complètement dans un régime alimentaire normal. Il n'y a pas d'aliment « mauvais », il n'y a que de mauvaises habitudes alimentaires. Pour l'équilibre alimentaire comme pour le plaisir de manger, il faut consommer chaque jour des aliments de chaque famille de nutriments en fonction des apports conseillés.

Manger, c'est avant tout faire le plein d'énergie sous forme de lipides et de glucides... mais pas seulement ! L'organisme a également besoin de protéines pour la fabrication des cellules, de fibres pour faciliter le transit intestinal, de minéraux et de vitamines pour la croissance et la vitalité. Et comme aucun aliment ne concentre tous ces nutriments à la fois, il faut jouer la complémentarité entre les différentes familles pour satisfaire 100 % de vos besoins nutritionnels.

Soyez rusée

Varier votre alimentation est donc le seul moyen d'apporter tous les éléments nécessaires à l'entretien et au bon fonctionnement de votre organisme. Mangez des pâtes à chaque repas ou une pizza tous les soirs et vous risquez fort de présenter certaines carences en fibres, minéraux ou vitamines !

Pour équilibrer votre alimentation, il suffit de bien savoir composer vos repas. Un repas équilibré doit comprendre :

- une portion de viande, poisson ou œuf comme source de protéines et de fer (ou un équivalent végétal tel que les légumes secs, les céréales ou le soja) ;
- un plat de féculents, de légumes secs ou du pain comme source de glucides complexes, de fibres et de minéraux ;
- des légumes et des fruits pour les fibres, vitamines et minéraux ;
- un produit laitier pour l'apport en calcium ;
- un corps gras pour les acides gras essentiels et certaines vitamines ;
- sans oublier l'eau, essentielle pour l'hydratation et l'apport complémentaire en minéraux.

Pour consommer l'ensemble des groupes d'aliments essentiels (lipides, protéines, glucides) au cours d'un même repas, commencez par choisir un aliment qui vous fait envie. Par exemple, par l'odeur alléchée, vous avez envie de poulet rôti : eh bien, mangez-le avec une portion de riz en guise de féculents, une salade verte pour les crudités et un laitage en dessert.
Deuxième exemple : en optant pour un plat complet, comme le couscous ou la paella, vous avez tous les groupes d'aliments à la fois – viande, féculents et légumes – ; il vous suffira d'ajouter un laitage et un fruit.
Dernier exemple : la quiche lorraine, qui contient du jambon, des œufs, du lait, de la farine (féculents) et de la crème fraîche. Pour l'accompagner, une entrée de crudités et un fruit en dessert sont plus que suffisants à la place du fromage qui rendrait votre repas globalement trop gras.

LE RÔLE DES NUTRIMENTS

Les protéines (4 Kcal/g)

Constituants de base des cellules, elles permettent la construction, la réparation et l'entretien de l'organisme. Où les trouver ? Dans les viandes, les poissons, les œufs, les produits laitiers, mais aussi les céréales et les légumes secs. Apport optimal : 15 % de la ration énergétique quotidienne.

Les glucides (4 Kcal/g)

Carburant des organes, du cerveau, des muscles et du système nerveux, les sucres se trouvent, sous une forme simple ou complexe, dans les féculents, les fruits, le lait et les produits sucrés (confiture, miel...). Apport optimal : de 50 à 55 % de l'énergie quotidienne.

Les lipides (9 Kcal/g)

Constituants des membranes cellulaires, ils servent à la synthèse des hormones et représentent une réserve d'énergie indispensable. On les trouve dans les beurres, les crèmes, les huiles... Vos besoins ? De 30 à 35 % de la ration quotidienne, en privilégiant les sources d'acides gras essentiels (huiles végétales, poissons gras...).

LES BESOINS ÉNERGÉTIQUES

Les besoins quotidiens en calories des femmes varient selon les dépenses physiques et l'âge (ils diminuent avec l'âge). Ils sont en moyenne de :

- **1 800 calories, pour les femmes sédentaires ;**
- **2 000 calories, pour les femmes ayant une activité physique moyenne ;**
- **2 200 calories, pour les femmes ayant une activité physique plus soutenue.**

Les bons réflexes « alimentation minceur »

Tout d'abord, repensez, si nécessaire, la fréquence de vos repas : vous grossirez moins avec une alimentation mieux répartie au cours de la journée. Adaptez l'heure de vos repas à votre mode de vie et à votre emploi du temps mais répartissez votre alimentation en plusieurs petits repas structurés. C'est un bon moyen de ne pas stocker de graisses indésirables. Il a été prouvé que la même ration calorique assimilée de façon fractionnée favorisait moins la graisse que si elle était absorbée en une seule fois. De plus, le fait de vous accorder des collations régulières et équilibrées au cours de la journée vous évitera la sensation de faim et de ventre creux, souvent à l'origine de vos écarts trop copieux.

Voici les bons principes de l'« alimentation minceur »...

Réduisez votre apport en lipides

Souvenez-vous : 1 g de graisse (lipides) apporte à lui seul plus de deux fois plus de calories que la même quantité de glucides ou de protéines. Sans compter que les lipides sont immédiatement stockés et qu'ils n'entraînent pratiquement pas de sensation de satiété.

Pour ne pas prendre de poids, 60 g de lipides par jour est un seuil à ne pas dépasser. Mais n'oubliez pas que vous en consommez déjà 30 g, cachés dans les aliments comme la viande, la charcuterie, les entremets. Avec l'huile d'olive qui accompagne la salade ou le morceau de beurre étalé sur le pain, les 30 g restants sont vite atteints.

Quelques exemples vous aideront à visualiser ce que 10 g de lipides représentent :

— 1 poignée de cacahuètes
— 1/2 croque-monsieur
— 2 boules de glace
— 1 petite barquette de beurre ou de margarine
— 1/10e de quiche
— 6 carrés de chocolat au lait
— 1 croissant ordinaire
— 1/8e de sandwich jambon-beurre
— 6 rondelles de saucisson sec
— 5 escalopes de dinde
— 4 tranches de jambon cuit écouenné
— 1 petit morceau de gruyère
— 300 ml de lait entier

LE BEURRE, QUEL MALHEUR !

Une tartine de beurre, quel bonheur ! Mais voilà, le beurre est riche en calories et en cholestérol : 100 g de beurre, c'est 750 Kcal et rien que des lipides d'origine animale ! Pensez donc allégé. En version allégée, cette valeur tombe à 400 Kcal environ et le goût est tout de même au rendez-vous.

Mangez suffisamment de protéines

Le nom vient du grec *protos* qui signifie « premier », donc « essentiel ». Tout en nous est protéines : les muscles, les enzymes, les hormones, la peau, les cheveux ! Et lorsque le corps ressent un manque, il se met à consommer sa propre substance en protéines. Résultat : vous ressentez une perte de tonicité et de vitalité.

Dans l'idéal, nous avons besoin de 1 à 1,5 g de protéines par kilo. Ainsi, si vous pesez 60 kg, il vous faudra au moins 60 g de protéines par jour. Vous en trouverez dans les laitages, les poissons, les viandes, les œufs et les céréales.

Couvrez vos besoins en glucides

C'est le carburant pour un fonctionnement optimal. Les glucides assurent l'approvisionnement du corps, veillent à ce que les protéines puissent servir à la construction des cellules et garantissent une énergie optimale. Il faut cependant privilégier les sucres lents ou « complexes » (pain, céréales, légumes secs, féculents) au détriment des sucres rapides ou « simples » (sucreries, pâtisseries, sodas…). Les sucres complexes ont un pouvoir énergisant qui dure plus longtemps que celui des sucres simples, mais aussi des graisses. Consommés à chaque repas, ils vous évitent le coup de fringale qui aurait pour conséquence de vous faire craquer sur… n'importe quoi !

Assurez-vous un apport quotidien en vitamines, minéraux et oligoéléments

Normalement, une alimentation saine et équilibrée couvre les besoins en vitamines et minéraux. Si ce n'est pas votre cas, changez votre alimentation ou, pour respirer la santé et ne pas être raplapla, achetez des compléments vitaminiques en pharmacie. Ils sont sans danger pour la santé, car faiblement dosés.

Cuisinez léger, mais savoureux

Réduisez au maximum les corps gras. Utilisez des poêles à revêtement antiadhésif, le four à micro-ondes, la marmite à pression (en particulier pour les cuissons à la vapeur). Pensez aux papillotes, aux cuissons au four sans ajout de matières grasses. Agrémentez vos plats de fines herbes, épices et aromates, échalotes et oignons, jus de citron... Sachez les accommoder avec un soupçon de crème fraîche à 15 % de MG ou un fond de sauce déshydraté.

Apprenez à déguster

Essayez de manger plus lentement, vous serez davantage rassasiée par votre repas que si vous le dévorez à toute allure. Une lenteur adéquate vous rendra service lors des repas de fête : en prenant le temps de savourer ce qui est dans votre assiette, vous en profiterez plus et vous mangerez moins !

CHERCHEZ L'ERREUR

Si, toutes catégories confondues, les sucres doivent représenter 60 % de l'alimentation calorique quotidienne, le sucre en morceaux ou en poudre ne devrait pas constituer plus du quart de cette ration. Or, toutes les enquêtes montrent qu'il en représente la moitié. Ne seriez-vous pas de celles qui mangent trop de sucre ajouté, de sucreries et autres boissons sucrées ? Le cerveau aurait la particularité de ne pas comptabiliser les calories de ces sucres liquides. Elles vont s'inscrire directement dans la colonne « Profit » et se stocker sur vos hanches !

PARTEZ D'UN BON PIED

Votre journée devrait débuter au saut du lit avec un grand verre d'eau fraîche que vous boirez à petites gorgées : rien de mieux pour remettre en route le système digestif et favoriser un bon transit. Prenez ensuite le temps de faire un petit-déjeuner tonique et super vitaminé :

- 1/2 pamplemousse ou 1 orange, ou leur jus fraîchement pressé. Ou encore 1 kiwi (le champion de la vitamine C).
- 1 yaourt ou 1 coupe de fromage blanc à 15 % de MG (pour le calcium et les protéines) avec 4 c. à s. de müesli complet ou 1 tranche de pain complet grillé (pour l'énergie fournie par les glucides complexes et les fibres bienfaisantes).
- 1 tasse de thé ou de café léger, que vous pouvez additionner de lait écrémé.

Bon plan alimentaire

Des sucres lents pour avoir de l'énergie

Consommez en quantité raisonnable du pain, des pâtes, du riz et des légumes secs pour éviter la fonte musculaire et les baisses de forme dues à des pics d'hypoglycémie (chute du taux de sucre dans le sang).

Des produits laitiers pour avoir de beaux os

Vous pouvez consommer à tous les repas (au choix) 1 grand verre de lait demi-écrémé ou écrémé, 100 g de fromage blanc (à 0 ou 20 % de MG), 30 g de fromage ou 2 petits-suisses. Ils contiennent des protéines et des acides aminés, mais aussi du calcium indispensable à la santé de vos os.

Des protéines pour avoir de beaux muscles

Les protéines sont précieuses : sans elles pas d'énergie et des muscles fatigués. Ne tombez pas dans l'excès de protéines animales, ni dans la diète protéinée, mais optez pour les volailles et le bœuf, le porc, le veau et l'agneau, pourvu qu'il soient maigres. Sans oublier les crustacés, la dinde et tous les poissons.

Des matières grasses pour leurs acides gras

Certains acides gras sont indispensables à la santé, notamment pour la protection du système cardiovasculaire, de la peau, des cheveux et des ongles. Il faut donc consommer du beurre, du fromage et des huiles végétales, mais en quantités raisonnables.

Des fruits pour les vitamines et le plaisir

Les fruits sont riches en fibres – dont l'effet « coupe-faim » est connu – et en vitamine C pour la plupart. Privilégiez toutefois les moins sucrés comme les poires, les pommes, les fraises et les kiwis.

BON À SAVOIR

Astuces de paresseuse simples mais efficaces pour éviter de s'empiffrer :

- **Prenez le temps de considérer le contenu de votre assiette avant d'attaquer, pour en évaluer la quantité et la qualité.**
- **Ne vous resservez jamais d'un plat, si bon soit-il !**
- **N'atteignez jamais la satiété : levez-vous de table avec un tout petit creux ; il disparaîtra au bout de 5 minutes.**

La meilleure façon de boire

Il vous faut boire en quantité ! C'est une nécessité physiologique à laquelle vous devez répondre en faisant les bons choix. De l'eau bien sûr, car elle occupe une place prépondérante dans notre corps en représentant à elle seule 60 à 65 % du poids total d'un adulte. Elle y joue des rôles multiples et essentiels, notamment plastique, chimique et thermique. Notre corps perd 1,6 litre d'eau par jour. Conséquence : il faut boire au minimum la même quantité d'eau pour ne pas vous déshydrater. Alors, à vos bouteilles, car, lorsque vous avez soif, votre organisme tire une sorte de signal d'alarme pour vous rappeler à l'ordre. Ce signal d'alarme ne veut pas dire « Attention, je vais bientôt me déshydrater », il signifie « Attention, je suis DÉJÀ en train de me déshydrater ! ». Donc, si l'on a soif, c'est que l'on n'a pas assez bu !

Et puis vous devez prendre garde à ce que vous buvez (surtout si c'est plein de sucre ou alcoolisé), sinon vous pourriez bien réduire à néant les efforts que vous faites pour maintenir ou retrouver votre poids idéal. N'oubliez pas que les liquides ne comptent pas pour du beurre dans le total de votre ration calorique journalière. Pour vous le prouver, faisons un petit tour d'horizon de vos boissons quotidiennes :

Les « sans » calories

- L'eau plate, qu'elle soit minérale, de source ou du robinet, de même que l'eau gazeuse, ainsi que le café, le thé, les infusions, les tisanes, dans lesquels on n'ajoute pas de sucre, sont dépourvus de calories et ne font donc pas grossir.
- L'eau gazeuse contenant beaucoup de sodium peut contribuer chez certaines à favoriser la rétention d'eau. Dans ce cas, vous avez l'impression de prendre du poids, mais il ne s'agit que d'eau retenue dans les tissus, et non de graisse.
- Le café, qui contient de la caféine, a un effet diurétique (il aide à éliminer l'eau retenue dans les tissus) et accélère le transit. Mais ne rêvez pas, son action ne permet en aucune façon de maigrir.
- Le thé possède également une action diurétique, mais boire du thé n'a jamais fait maigrir personne.

Les « peu ou très peu » de calories

- Les jus de légumes ont une faible valeur énergétique et leur texture relativement épaisse est capable de rassasier quelque temps, et donc de faire patienter en attendant l'heure du repas (leur seul défaut : ils sont très salés).
- Les sodas *light* et autres boissons *light* ont une valeur énergétique variable selon les produits. Certains apportent si peu de calories qu'on peut les considérer comme acaloriques, mais d'autres contiennent, en dehors de l'édulcorant intense, une certaine quantité de glucides que l'on risque de ne pas prendre en compte si l'on s'en tient au seul mot « LIGHT » figurant sur l'étiquette. Conclusion : ouvrez l'œil, toutes les boissons *light* ne sont pas dépourvues de calories.
- Le lait est un aliment liquide qui contient des protéines, des lipides et des glucides. Vous auriez donc tort de penser que vous pouvez en boire à volonté sans que les nutriments qu'il contient soient assimilés ! La solution : optez pour le lait écrémé, il contient autant de calcium, mais nettement moins de calories.

Les « plombées » en calories

- Envie de fruits mais pas envie de mâcher ? Erreur, les jus de fruits, les boissons aux fruits et les nectars sont chargés en glucides et donc en calories. En fait, un fruit consommé sous sa forme liquide a le même nombre de calories que s'il est consommé frais. Le problème est que les nectars de fruits et les boissons aux fruits sont surtout composés d'eau et de sucre. Oubliez-les, c'est un choix médiocre, tant au niveau nutritif qu'au niveau des bourrelets.
- Les yaourts à boire, les milk-shakes et, pire encore, les berlingots de lait concentré sucré aromatisé sont bien sûr très caloriques, et, comme

pour tout aliment liquide, le piège est qu'il suffit de quelques gorgées pour les engloutir, sans avoir à mastiquer, donc sans avoir la sensation de manger.

- Les boissons alcoolisées sont particulièrement traîtres, car l'alcool affiche allègrement 7 Kcal par gramme, soit près de deux fois plus que les protides ou les glucides ! De plus, si vous consommez trop d'alcool, il est probable que vous ferez l'impasse sur certains groupes alimentaires. C'est ainsi que l'on voit les fruits, les laitages et les crudités, ou encore la viande disparaître des repas accompagnés de boissons alcoolisées. Ce qui entraîne un déséquilibre majeur associé à des carences en vitamines et minéraux, et vous risquez d'avoir la sensation de grossir ou de ne pas parvenir à maigrir tout en faisant des repas très légers.

7 étapes pour « manger consciemment »

Le pire, en dehors du nombre impressionnant de calories ingurgitées lorsque l'on se laisse aller à tous ses instincts, c'est que l'on n'en profite même pas. « Manger consciemment » n'est ni une privation de plus, ni un mantra de gourou. C'est juste une façon de gérer ses émotions face à la nourriture et aussi de tirer le plus grand plaisir possible de l'acte de manger.

1. Acceptez-vous telle que vous êtes

Au lieu de vous battre la coulpe quand vous avez trop mangé, demandez-vous si votre organisme n'a pas un besoin particulier qui vous aurait échappé. Et ne vous jugez pas trop durement : c'est le meilleur moyen de ne pas refaire les mêmes erreurs en permanence.

2. Détendez-vous

Pensez à respirer correctement et profondément tout au long de la journée. En règle générale, être détendue vous permettra de repousser plus facilement les tentations.

3. Identifiez vos émotions

Essayez d'identifier vos émotions au lieu de les enterrer en mangeant. Et si, comme bien des paresseuses, vous savez pourquoi vous manger mais n'arrivez pas à vous en empêcher, pourquoi ne pas envisager de vous inscrire à un cours de yoga (pour réconcilier votre corps et votre esprit) ou même rechercher une thérapie de groupe ?

4. Respirez

Pratiquez systématiquement deux ou trois respirations profondes avant de commencer à manger. Pour vous détendre et vous concentrer sur ce que vous mangez et ne plus avaler sans y penser.

5. Mâchez le plus lentement possible

Pas 35 fois la même bouchée, mais c'est un bon exercice que de compter le nombre de mastications pendant quelques repas. Il s'agit d'une sorte de méditation pour manger consciemment, un bon exercice qui deviendra automatique et vous aidera même lorsque vous êtes pressée ou que vous avez un dîner d'affaires. Ainsi serez-vous toujours consciente du goût de vos aliments.

6. Examinez vos impulsions

Apprenez à faire la différence entre une envie irrépressible de chocolat ou d'épinards (à supposer que cela vous arrive !). Car une envie d'épinards veut dire que votre corps a un besoin en fer ou en un autre nutriment, alors qu'une envie de chocolat relève souvent d'une recherche de réconfort.

7. Rendez-vous la vie belle

Trop manger, c'est souvent nourrir une âme affamée. Demandez-vous ce que vous aimez faire et faites-le ! Vous aimez la peinture ? Prenez votre chevalet sous le bras et allez peindre dans un parc. Vous aimez la danse ? Inscrivez-vous dans un cours près de chez vous.

Pensez aux équivalences

Parfois, essayer de manger équilibré peut se transformer en un véritable calvaire ! Entre ses propres goûts et l'envie de variété, on est vite à court d'idées. La solution : connaître les équivalences entre les aliments pour jongler avec les quantités.

Vous avez dit « féculents » ?

Parfaitement ! Rappelez-vous que les glucides doivent représenter 50 à 55 % des apports caloriques et que les sucres complexes sont bons pour vous. Au petit-déjeuner, vous pouvez varier le rituel matinal mais vous ne savez pas comment remplacer vos biscottes ? Quelle quantité de riz apporte autant de glucides que 200 g de pommes de terre ? Le tableau suivant peut vous aider :

Équivalences en sucres lents : 38 à 40 g

— 1/3 de baguette, soit 75 g

— 4 à 5 biscottes, soit 50 g

— 200 g de pommes de terre

— 150 à 170 g de pâtes ou de riz cuits

— 220 à 230 g de légumes secs cuits

Qui mange un œuf mange un bœuf…

Les protéines sont les briques de votre organisme. En ce qui concerne les apports, les viandes sont équivalentes aux poissons et aux œufs. Les produits laitiers aussi peuvent fournir la plupart des acides aminés (constituants des protéines). On trouve également des protéines dans les aliments végétaux, mais en moins grandes quantités et elles sont plus difficilement assimilées par notre organisme.

Équivalences en protéines : 20 g environ

— 100 g de viande

— 100 g d'abats

— 100 g de poisson

— 100 g de volaille

— 2 œufs

— 1/2 litre de lait ou 4 yaourts

— 70 g de gruyère ou 90 g de camembert

— 180 g de fromage blanc

Beurre ou margarine ?

Pour les lipides, il est indispensable de varier les sources entre matières grasses végétales et animales pour équilibrer l'apport en acides gras saturés, en acides gras poly-insaturés et en cholestérol. Il est donc primordial de connaître les équivalences. Les lipides doivent représenter 30 à 35 % des apports caloriques – ce qui inclut les matières grasses comme le beurre ou l'huile, mais également les nombreux lipides « cachés » dans les aliments.

Équivalences en lipides : 20 g de lipides environ

— 2 c. à s. d'huile (20 g)

— 25 g de beurre

— 25 g de margarine

— 2 c. à s. de crème fraîche (60 g)

Plateau de fromages

Le calcium est un constituant essentiel des os. Il est donc essentiel, pour lutter contre l'ostéoporose, que vous ayez votre dose quotidienne de calcium, soit au moins 800 mg. L'eau minérale en contient souvent, mais ce sont les produits laitiers qui sont la meilleure source de calcium. Le lait étant à l'origine d'une multitude de produits, vous n'avez plus aucune excuse pour ne pas en consommer !

Équivalences en calcium : 300 mg environ

— 1 bol de lait, soit 250 ml de lait

— 2 pots de yaourt de 12 cl

— 300 g de fromage blanc

— 10 petits-suisses de 30 g

— 80 g de camembert

— 45 g de roquefort

— 40 g de cantal

— 30 g de gruyère

Équivalences de base

Limiter vos apports caloriques et alimentaires, c'est bien : mais connaissez-vous les quelques valeurs de base ?

- 1 biscotte 25 Kcal
- 1 tranche de pain complet 30 Kcal
- 1 yaourt à 0 % de MG 50 Kcal
- 1 yaourt nature 60 Kcal
- 1 c. à s. de crème fraîche 50 Kcal
- 1 c. à s. d'huile 100 Kcal
- 1 verre de lait entier 260 Kcal
- 1 verre de lait écrémé 60 Kcal

Le Caddie de la paresseuse

Le but est de remplir intelligemment votre chariot. Pour commencer, prenez l'habitude de faire votre marché : c'est la meilleure façon de profiter de toute la variété des produits frais et naturels de saison et de diversifier vos menus. À vous les petits légumes nouveaux, tendres et fraîchement cueillis, les fruits de saison mûrs à point, parfumés et tentants. Bref, tout ce qu'il faut pour favoriser la bonne forme et la minceur. À l'étal du poissonnier, vous achèterez du poisson tout juste pêché et des fruits de mer sentant bon la marée. Au rayon du volailler, vous n'aurez que l'embarras du choix, qu'il s'agisse de poulet, caille, lapin, pintade ou blanc de dinde – que des viandes maigres ! Question « pain », une baguette aux céréales cuite comme vous l'aimez, un pain au levain bien gonflé ne vous donneront que du plaisir. Attention aux pains préemballés et prétranchés qui peuvent être largement additionnés de corps gras !

Au supermarché, par contre, soyez sur vos gardes. L'industrie alimentaire vous pousse à l'orgie ! Son objectif est de vous faire acheter toujours plus et donc de varier au maximum les aliments, les étiquettes, les emballages, pour pousser à la surconsommation. Restez simple dans vos choix. Les fruits, les légumes frais mais aussi surgelés, la viande, le poisson sont des achats sûrs.

Les risques pour la ligne résident dans les plats cuisinés, les soupes en sachets, les biscuits en tous genres. Prenez l'exemple du poisson pané : le taux de poisson varie de 45 à 70 %, le reste n'est que du gras ! Et n'oubliez pas, les produits *light* sont allégés en sucre mais pas en graisse ou inversement. Exemple significatif, les yaourts maigres ne comportent, certes, que 0 % de matières grasses, mais contiennent tout de même l'équivalent de 5 morceaux de sucre par pot ! Les biscuits « diététiques » sont aussi un subterfuge, puisqu'ils sont enrichis en vitamines mais bourrés de graisses cachées. Il vaut donc mieux manger quelques bons biscuits « normaux » plutôt qu'un paquet entier de biscuits de ce type.

Et enfin, pour résister à toutes les tentations, il faut apprendre à lire les étiquettes. Regardez d'abord le nombre de calories aux 100 g et intéressez-vous au rapport protéines/lipides. S'il est équilibré, le produit est correct. Si le taux de lipides est trois fois plus important que celui des protéines, comme dans les friands à la viande, fuyez !

Fruits et légumes : vous avez toutes les raisons d'en abuser

Le « Programme national "nutrition santé" » conseille de consommer 5 à 10 fruits et légumes par jour. En effet, il est aujourd'hui scientifiquement établi que leur consommation permet de réduire les risques de maladies cardiovasculaires et de certains cancers – notamment ceux de la bouche, du pharynx, de l'œsophage, de l'estomac, du côlon et du poumon.

En tout cas, les effets protecteurs des végétaux sont liés à la présence de fibres, de vitamines et d'oligoéléments, et aussi de substances antioxydantes : bêta-carotène, vitamines C et E, polyphénols. Par ailleurs, en raison de leur faible taux de graisse et de calories – de 15 à 25 Kcal aux 100 g pour les légumes et de 28 à 90 Kcal pour les fruits –, ils combattent l'obésité et le diabète. Forcément, ils facilitent la digestion des aliments et rassasient grâce aux fibres qu'ils contiennent, atout essentiel dans la lutte contre les kilos.

5 à 10 par jour d'accord... mais comment les répartir ?

Cela paraît beaucoup mais c'est dans vos cordes. D'abord parce qu'ils sont à portée de main : vous en trouverez partout de différentes formes, de différentes couleurs et de différentes provenances. N'oubliez pas de vous servir de votre congélateur et de consommer également des conserves. Prenez des légumes, crus ou cuits, au déjeuner et au dîner. Mangez des légumes crus au moins tous les deux jours ; leur teneur en vitamines est plus élevée que ceux que vous cuirez.

Quant aux fruits, mangez-en au moins deux à trois par jour : au petit-déjeuner, à la fin des repas et comme en-cas. Préférez-les frais, même si, dégustés sous forme de compotes ou surgelés, les fruits restent intéressants sur le plan nutritionnel. Bref, apprenez à varier les plaisirs !

FRUITS FRAIS, SECS OU EN CONSERVE...

Les fruits sont les alliés de votre ligne, et surtout une excellente source de vitamines et de fibres. En clair, il n'y a pas de fruits tabous et rien ne vous empêche non plus de consommer des fruits secs (en quantité raisonnable) ou des fruits exotiques (la goyave et la papaye font partie des moins caloriques). ***Idem*** **pour les fruits en conserve, qui ont été diabolisés à tort, car si vous égouttez le sirop, ils ne seront pas plus caloriques que des fruits frais.**

À chaque fois que vous mettez les pieds dans une épicerie...

... ou choisissez votre menu quotidien, vous êtes confrontée à un nombre impressionnant de choix alimentaires. Pour faire les bons choix, manger sainement et tenir vos bonnes résolutions, quelques points de repère peuvent être utiles aux âmes de bonne volonté.

- **Faites le plein de fruits :** dans l'idéal, mangez 5 portions de fruits par jour (une demi-tasse de fruits découpés en dés correspond à 1 portion). Vous pouvez manger, par exemple, une petite banane au petit-déjeuner (1 portion), une grande coupe de fruits au déjeuner (3 portions) et finir par une poignée de fraises au dîner, et voilà !

- **Variez vos légumes :** 5 portions par jour de préférence. La variété est primordiale et les options presque infinies, surtout si vous divisez les légumes en cinq sous-catégories : les légumes de couleur verte (épinards, brocolis, chou, haricots verts) ; les légumes de couleur orange (carottes, potiron) ; les légumes secs (pois, pois chiches, lentilles) ; les légumes qui contiennent de l'amidon (maïs, petits pois), et tout le reste (oignons, tomates, etc.). Efforcez-vous de manger au moins trois légumes des différentes catégories par semaine.

- **Faites le plein de calcium :** visez au moins 3 portions d'aliments contenant du calcium chaque jour (lait, yaourt, fromage, fromage blanc...). Pour garder des os solides, mais aussi pour éviter l'hypertension et le cancer du côlon.

- **Pensez aux céréales complètes :** au moins 6 portions par jour pour calmer votre appétit et entretenir votre forme de sportive accomplie. Pâtes complètes, pain complet, riz complet sont vos alliés « minceur ».

- **Sélectionnez des protéines maigres :** sauf si vous êtes végétarienne, on peut parier que vous consommez assez de protéines. En revanche, il est important de choisir les plus saines. Les viandes les plus maigres sont le poulet et la dinde (sans la peau) ainsi que la bavette, l'onglet, l'escalope de veau, etc. Procurez-vous une table des calories pour vous repérer.

- **Variez les plaisirs :** il n'y a pas que les viandes qui contiennent des protéines. Le poisson, les laitages, les œufs et même les légumes secs ou les noix et noisettes en contiennent en quantité.

CES FRUITS QUI NOUS VEULENT DU BIEN

La tomate a tout bon ! Et que des atouts « santé » :
Eau : 93 g ; glucides : 2,8 g ; fibres : 2 g ; protides : 1 g ; potassium : 290 mg ; magnésium : 10 mg ; calcium : 10 mg ; vitamine C : 30 mg ; carotène : 0,8 mg.

L'ananas contient de la broméliacée, une enzyme rare qui facilite la digestion des protéines. En revanche, elle n'a pas d'action sur les graisses, ne favorise donc pas l'amincissement et n'a aucune action sur la cellulite.

Un filet de citron conserve les vitamines. Une fois épluchés, les fruits et les légumes ont vite fait de noircir au contact de l'air. C'est la faute à l'oxydation, une réaction chimique qui détruit les vitamines. Pour les sauvegarder, frottez la chair des pommes, poires ou des avocats avec une moitié de citron. Vous pouvez aussi en verser un jus sur vos crudités râpées en attendant l'heure du repas.

GENTIL POULET !

Le poulet est une viande maigre, à condition de le manger sans la peau. Mais ses morceaux ne sont pas tous égaux en gras. L'aile est plus grasse que la cuisse, le haut de cuisse plus gras que le pilon, lui-même plus gras que le blanc qui ne contient que 2 % de lipides, soit 108 Kcal aux 100 g.

L'assiette « belle peau » de la paresseuse

Les crèmes et autres sérums, c'est bien, mais pas suffisant ! Pour avoir une peau vraiment belle, lumineuse et sans problème, il faut avant tout la nourrir de l'intérieur. Car la peau a bon appétit ! Au menu, de l'eau et des aliments sains. En mangeant un peu de tout, vous avez de grandes chances de lui offrir tous les éléments nutritifs nécessaires à sa vitalité.

Faites le plein de vitamine E

Les antioxydants luttent contre le vieillissement. Pour avoir votre dose de vitamine E, alliée de la peau mais fragile à la cuisson, choisissez des huiles de première pression à froid : olive, colza, pépin de raisin, maïs, noisette, germe de blé.

À votre menu « belle peau » :

— Des fruits secs et oléagineux, noix et noisettes (surtout fraîches), abricots, amandes, des céréales entières – attention, pas des biscuits industriels ! –, du soja et du cresson : fraîcheur des vitamines A, E et B et sélénium garantis.

— Des fruits et légumes aussi pour les vitamines A et C, qui sont particulièrement abondantes dans les myrtilles, les kiwis, le chou, les épinards, les poivrons et les herbes aromatiques.

— Des poissons des mers froides comme le saumon, le bar, le hareng et le cabillaud, également riches en oméga-3 et 6.

— Des œufs, riches en vitamine E et aussi en zinc et en sélénium.

— Des produits laitiers.

Soyez gourmande de vitamine A

Vitamine de la peau par excellence, la provitamine A ou bêta-carotène, précurseur de la vitamine A, est un formidable anti-radicaux-libres. Le légume le plus riche en bêta-carotène est évidemment… la carotte, suivie des abricots, de la mangue, des cucurbitacées (citrouille, potiron, potimarron), du melon, du chou vert, du cresson, des épinards… Point de repère : plus un légume est orange, plus il est riche en bêta-carotène.

La vitamine A quant à elle se cache dans le beurre, la crème fraîche, le foie et le jaune d'œuf.

Et une pincée de vitamine B

L'acide pantothénique, sauveur des cheveux mais aussi de la peau, se trouve dans le foie (de veau, de volaille), la levure fraîche, les œufs, les fruits secs et oléagineux, les légumes secs (lentilles, pois, haricots), les céréales complètes et les viandes rouges ou blanches, les fromages à moisissures ainsi que les champignons. Vous avez l'embarras du choix !

LES LAITAGES

Tous les laitages, écrémés ou non, contiennent du calcium en quantité appréciable. En revanche, seuls le lait et les laitages entiers ou demi-écrémés apportent de la vitamine D (antirachitique) nécessaire à son assimilation. Le mieux est donc d'alterner laits écrémé et demi-écrémé pour préserver vos apports.

Astuces de paresseuse pour cuisiner bon et léger

Manger moins gras et moins sucré, d'accord ! Mais gageons que le régime « grillades / légumes à l'eau » tous les jours vous fera craquer à coup sûr ! Pour réussir, il est donc indispensable de mettre le plaisir au menu. Et les astuces culinaires sont les bienvenues…

Cuisinez moins sucré

- **Préférez les farines complètes dans les recettes de gâteaux.** Remplacez la moitié de la farine blanche par de la farine complète. Ses glucides (ou sucres) sont plus lentement assimilés par l'organisme grâce aux fibres qu'elle contient. La farine complète est aussi plus riche en vitamines et sels minéraux sans apporter plus de calories.
- **Diminuez par deux les quantités de sucre** pour les crèmes et les desserts maison. Et utilisez du lait demi-écrémé (1,5 % de lipides) plutôt que de la crème (15 à 30 % de lipides).
- **Édulcorez sans édulcorant.** Les édulcorants de type aspartam ne supportent pas la cuisson ; ils sont faits pour sucrer les yaourts et les boissons chaudes. D'autres, plus élaborés, portent la mention « spécial cuisson », mais leur dosage demande quelques précautions car ils sont très volatils (poudre légère) et leur pouvoir sucrant est très élevé. L'utilisation d'un sucre classique en moindre quantité suffit à réduire le nombre de calories – vous pouvez aisément diminuer de 1/3 la quantité de sucre prévue. Si vous voulez compenser ce « manque », ajoutez des fruits (pommes, poires, pêches…) ou de la cannelle dans un gâteau, par exemple. Le résultat n'en sera que plus intéressant.

Cuisinez moins gras

- **Faites mariner les filets de poisson blanc** avant de les cuire. Mélangez sauce soja, jus de citron vert, vinaigre (de riz ou de xérès), miel, gingembre râpé (ou ail), coriandre ciselée. Laissez mariner de 30 minutes à 1 heure et faites revenir à la poêle 5 minutes. Dégustez.
- **Cuisez les légumes,** l'escalope de dinde ou le filet de poisson dans une sauteuse, accompagnés de pulpe de tomates, de piment, d'herbes aromatiques, de sel, de poivre. Couvrez et laissez cuire 5 à 8 minutes. Pour griller vos filets de poisson au four, posez-les côté chair sur les légumes : ils seront plus moelleux. Posez les poissons entiers et les rôtis de viande sur un lit d'oignons, de courgettes, de tomates et/ou de champignons de Paris. Arrosez au cours de la cuisson avec un jus de citron ou un verre de vin blanc.
- **Piquez les volailles** dans les parties grasses (cuisses, naissance du cou) avant de les enfourner, vous éliminerez ainsi plus facilement le gras de rendu avant de servir.
- **Cuisinez avec des huiles végétales** supportant la cuisson (huile d'olive ou d'arachide). La margarine « spécial cuisine » convient mieux pour poêler viande ou volaille, quand l'huile ne se prête pas à la recette.
- **Consommez de l'huile végétale crue,** au moins une cuillère à soupe par jour.
- **Utilisez plutôt les graisses crues.** Les matières grasses s'abîment lors de la cuisson au niveau de leur teneur en acides gras essentiels et en vitamines A et E. Ajoutez-les après la cuisson et alternez beurre, margarine et crème fraîche.
- **Et enfin, ouvrez l'œil !** Une paresseuse prévenue en vaut deux :

— 100 % de lipides dans toutes les huiles ;

— 82 % dans le beurre ou la margarine classiques ;

— 41 % dans le beurre allégé « à tartiner » ;

— 31 % dans la crème fraîche ;

— 15 % dans la crème fraîche légère.

TRUCS DE PARESSEUSE POUR ALLÉGER LES BONS PETITS PLATS

- Ayez toujours un jus de viande maigre dans votre réfrigérateur : il agrémentera vos poêlées de légumes.
- Pour éviter la graisse dans les tartes, tapissez le fond du moule de papier sulfurisé.
- Dans un gratin ou un risotto au fromage, rusez en utilisant du fromage râpé allégé, puis, au dernier moment, ajoutez une pointe de parmesan râpé pour corser le goût.
- Envie de friture ? Plongez les aliments dans un bain d'huile très chaude pour que le gras les saisisse immédiatement. Égouttez puis épongez avec du papier absorbant.
- À la place du lait demi-écrémé, utilisez du lait écrémé : il y a peu de différence de goût.
- Avant de le servir, épongez le saumon fumé dans du papier absorbant, vous serez étonnée de la quantité d'huile ainsi éliminée.

4 SAUCES LÉGÈRES

Pour que vos salades ne se transforment pas en bombes caloriques :

1. Sauce vinaigrette allégée

Remplacez l'huile par 1 c. à s. de bouillon de légumes. Ajoutez du vinaigre balsamique, un peu de moutarde, du sel, du poivre, 1 gousse d'ail écrasée et du persil. Cette sauce convient à toutes les salades composées.

2. Sauce au yaourt

Fouettez 2 yaourts maigres nature. Ajoutez 1 botte de ciboulette hachée, des feuilles de menthe et quelques brins de cerfeuil. Salez, poivrez et complétez par le jus de 1 citron. Cette sauce est idéale pour assaisonner le concombre et les champignons de Paris.

3. Sauce grecque

Faites revenir 3 c. à s. d'échalotes émincées. Ajoutez 1 bouquet garni, 2 tomates concassées, des feuilles de coriandre fraîche, 3 c. à s. de vin blanc, 1 jus de citron, du sel, du poivre. Laissez refroidir.

4. Mayonnaise allégée

Réduire 2 jaunes d'œufs cuits en purée, ajoutez du sel et du poivre, puis 2 jaunes d'œufs crus. Incorporez à ce mélange en battant au fouet 2 yaourts, 1 c. à c. de moutarde, puis 1 c. à c. de jus de citron. Réservez au réfrigérateur environ 1 heure.

Mangez malin : ça calme l'appétit

- **Jouez le « glyx » bas.** Le « glyx », c'est l'abréviation de l'index de glycémie, qui est lui-même la version raffinée de l'ancien concept opposant les sucres rapides, instantanément assimilés par l'organisme, et les sucres lents, qui distillent progressivement leur énergie, évitant ainsi fringales et coups de pompe. L'index de glycémie d'un aliment témoigne donc de sa vitesse de pénétration dans le sang.

Les glucides sont classés en fonction de leur pouvoir de glycémie ; ceux à éviter sont ceux qui possèdent un pouvoir de glycémie élevée (supérieur à 50) et qui génèrent le déclenchement d'importantes quantités d'insuline dans le sang – ce qui provoque une sensation de faim. Par contre, plus le « glyx » est bas (inférieur à 50), moins l'aliment stimule la production d'insuline, l'hormone du stockage des graisses. Un plat de spaghettis ou de lentilles, le lait, les pommes et les yaourts valent bien mieux que du riz blanc ou des pommes de terre.

Quelques points de repère (le glucose égal à 100 est l'index de référence) :

Aliments à index de glycémie élevé : la bière (110) ; la limonade et les sodas (100) ; les pommes de terre (95) ; le pain blanc (95) ; le riz blanc

(90) ; les carottes (85) ; le miel (85) ; les jus de fruits sucrés (85) ; les pommes frites (75) ; le chocolat au lait (70) ; les croissants (70) ; les pâtes blanches (55).

Aliments à index de glycémie bas : les légumes frais (15) ; les fruits frais (30) ; les haricots secs (30) ; les lentilles (30) ; les haricots verts (40) ; les petits pois (50) ; le lait écrémé (30) ; les yaourts nature (15) ; le pain de seigle (40) ; les pâtes complètes et le riz complet (30) ; le chocolat noir (20).

- **Faites un bon petit-déjeuner.** Le petit-déjeuner est IN-DIS-PEN-SA-BLE ! Ne pas en prendre, c'est prolonger un jeûne entamé depuis une dizaine d'heures durant lesquelles votre organisme a brûlé des calories pour respirer, rêver et assimiler les acquis intellectuels. Vous savez ce qu'il vous reste à faire si vous voulez éviter le fameux coup de pompe de 11 h. Faites vos comptes : le petit-déjeuner est censé vous apporter au moins 20 % des apports énergétiques quotidiens (soit entre 360 et 440 calories selon votre taille, votre poids, votre âge et vos activités physiques).

- **Faites une pause-goûter.** Celles qui prennent un goûter sont plus minces que les autres. Cette collation (200 calories) leur permet de faire le pont jusqu'au dîner, puis de limiter les apports caloriques. L'idéal : une pomme, deux tranches de pain complet et une boisson sans sucre.

- **Soyez tatillonne.** À chaque fois que vous mangez un plat que vous n'avez pas préparé, essayez de déterminer sa composition (ingrédients, épices, mode de cuisson…), un peu à la manière d'un cuisinier qui voudrait reproduire la recette.

- **Repérez tous les aliments auxquels vous trouvez bon goût** en faisant appel à tous vos sens. Cela vous renseignera utilement sur vos préférences.

- **Plus vous appréciez ce que vous mangez, plus vite vous êtes rassasiée.** C'est à cette condition que votre corps et votre tête vous envoient un signal indiquant que vous n'avez plus besoin de rien. Le plaisir et le besoin sont alors réconciliés.

UNE CERTAINE LÉGÈRETÉ

Un bon assaisonnement ne nécessite pas forcément d'huile. Pour les crudités, vous pouvez vous concocter une sauce au jus de carotte : 12,5 cl de jus de carotte, 1 c. à s. de moutarde à l'estragon et 3 c. à s. de vinaigre balsamique ; ou opter pour la classique sauce au fromage blanc : mélangez 100 g de fromage blanc à 0 % de MG à 1 c. à s. de moutarde à l'ancienne, salez, poivrez et parsemez de ciboulette.

LES PLATS CUISINÉS

N'achetez pas un plat tout prêt sans savoir ce qu'il vous apporte.
La portion de viande ou de poisson est obligatoirement mentionnée. En ce sens, il est intéressant de comparer les proportions d'aliments proprement dits et de sauce – c'est parfois surprenant ! Au passage, vérifiez aussi les calories et les différents nutriments (protéines, lipides, glucides). Les repères à retenir sont les suivants : 70 à 80 g d'aliments nobles (viande, poisson) et, au maximum, 15 à 18 g de lipides (graisse) pour un total énergétique de l'ordre de 350 à 400 calories.

Trop mangé ?

Drainez et éliminez par les plantes.

Petite cure dépurative

- **La prêle** renferme plusieurs principes actifs dont certains flavonoïdes qui expliqueraient son action diurétique. Elle aide l'organisme à éliminer l'eau par voie rénale tout en favorisant la circulation. Elle est, en plus, riche en minéraux comme le potassium, la silice, etc.
- **Le thé vert** est reconnu depuis des millénaires par la médecine traditionnelle chinoise pour ses vertus. Il contient un taux élevé de caféine, qui joue un rôle important dans le déstockage des graisses. De plus, les polyphénols, présents dans le tanin, modèrent l'absorption des glucides et des lipides. Ses propriétés diurétiques sont également intéressantes, surtout pour ce qui est de la chasse aux kilos !
- **La piloselle** facilite les fonctions d'élimination de l'organisme par ses remarquables propriétés diurétiques. Les phytothérapeutes la conseillent souvent en complément d'un régime amaigrissant.
- **Le fucus** est une algue riche en iode, fer et en vitamine qui stimule l'élimination des déchets présents dans l'organisme. Elle contient aussi des mucilages, qui gonflent au contact de l'eau dans l'estomac, créant ainsi un volume sans calories et donc un effet « coupe-faim » naturel.
- **La fumeterre** est connue pour favoriser le fonctionnement de la vésicule biliaire. Or, quand la vésicule biliaire fonctionne mal, cela se répercute sur la peau, qui prend le relais pour éliminer les toxines, et l'on se retrouve avec le teint brouillé !
- **Le konjac** est un coupe-faim naturel. Grâce à la présence de glucomannane dans ses racines, il peut absorber plus de 100 fois son volume

en eau ! Il forme ainsi un gel volumineux dans l'estomac qui procure derechef une sensation de satiété.

N.B. : ces plantes sont disponibles en pharmacies ou magasins de diététique, sous forme de gélules ou en solution buvable.

Guide des bonnes résolutions de la paresseuse au jour le jour

- « Je bois un grand verre d'eau à chaque fois que j'ai faim. »
- « Je fais une liste de courses et je m'y tiens. »
- « Pendant que les enfants goûtent, je mange un fruit. »
- « J'utilise un substitut du sucre pour mon café. »
- « Je m'arrête de manger quand je n'ai plus faim, même si mon assiette n'est pas vide. »
- « Je mange assise à table et je prends tout le temps qu'il faut pour manger. »
- « Le soir, je prends une tisane plutôt qu'une demi-tablette de chocolat. »
- « Je bois de l'eau à table (plutôt que du vin), au moins 1 litre et demi par jour. »
- « J'utilise du beurre allégé. »
- « À l'apéritif, je préfère les tomates cerises aux chips. »
- « J'évite de goûter trop abondamment les plats en cuisinant. »
- « Je me fais plaisir en mangeant ce que j'aime mais… en petites quantités ! »

- « Je ne bois pas de soda : si j'aime les bulles, vive l'eau pétillante ! »
- « Je ne me ressers pas à table. »
- « Je fais mes courses le ventre plein. »
- « Je mange des petites bouchées (au besoin avec des petits couverts). »
- « Je veille à bien équilibrer mes repas pour éviter les carences. »
- « Je joue avec les saveurs : à moi les épices, fines herbes, moutardes et condiments en tout genre. »
- « J'expérimente des recettes nouvelles et diététiques pour plus de plaisir. »
- « Je cuisine la viande sans ajouter de matières grasses, j'investis dans une poêle ou une sauteuse à revêtement antiadhésif ! »
- « Je mâche suffisamment les aliments. »
- « Je remplace la pause-croissant par une pause-thé-vert. »
- « Je ne saute pas de repas. »
- « Je mange du poisson le plus souvent possible. »
- « Je ne m'impose pas d'interdit systématique, mais j'ai toujours de la mesure dans les quantités. »
- « Pour me couper l'appétit, je débute les repas par des crudités ou une soupe. »
- « Je mange des aliments complets plutôt que raffinés : pain, riz, pâtes, farine… »
- « J'exploite les richesses des surgelés. »
- « Je n'emmène pas les enfants pour faire les courses. J'évite ainsi de remplir les placards de tentations sucrées. »
- « Je ne culpabilise pas mes écarts ! »

VINGT FAÇONS DE BIEN MANGER SANS EN FAIRE TOUT UN PLAT

1. Mangez des légumineuses

Plutôt que des pâtes ou du riz. Les légumineuses (lentilles, pois, haricots secs) sont riches en fibres, vitamines et oligoéléments.

2. Mangez un fruit en entrée

En dehors des traditionnels melon, pastèque ou pamplemousse, pensez aux pomme, poire ou grappe de raisin qui caleront les plus voraces, en deux temps trois coups de dents !

3. Soyez vigilante

Et ce, dès le déjeuner. Pas la peine de commencer à vous bourrer de féculents, de fromage et de vinaigrette bien grasse.

4. Prenez un en-cas

Un potage ou du fromage blanc vous éviteront de sauter sur les amuse-gueule de l'apéritif.

5. Mangez comme tout le monde

Mais ne vous resservez pas. Modérez-vous également sur le pain et le vin. Et, bien sûr, ne prenez pas de fromage si vous ne pouvez pas refuser la part de gâteau.

6. Lisez les étiquettes

Elles ont l'avantage de renseigner sur les calories et surtout sur la teneur en graisse. Rappelez-vous que 1 g de lipides est égal à 9 Kcal, alors que 1 g de glucides ou de protéines est égal à 4 Kcal. Une différence qui pèse lourd !

7. Trompez votre cerveau

Remplacez vos assiettes habituelles par des assiettes à dessert. Une même portion servie dans une grande assiette laisse sur sa faim, alors que, servie dans une petite assiette, elle trompe le cerveau qui croit avoir mangé sa ration habituelle.

8. Accélérez votre transit

En cas de mauvais transit intestinal, augmentez votre consommation d'eau, de tisanes, de fruits et de légumes. Il serait étonnant qu'en buvant 1,5 à 2 litres d'eau par jour, vos problèmes persistent.

9. Méfiez-vous des sodas

Ne croyez pas qu'ils soient innocents parce qu'ils sont *light*. Selon une étude récente, les personnes habituées à boire des sodas, *light* ou non, ont plus d'appétit que celles qui préfèrent l'eau, gazeuse ou non, ou les jus de fruits naturels sans sucre ajouté.

10. Pensez « petit format »

Bien qu'ils soient plus économiques, évitez d'acheter les paquets « géants » de chips, glaces ou autres. Des études ont montré que l'on en consomme alors jusqu'à 44 % de plus. Si vous devez vraiment craquer sur ce genre de choses, offrez-vous le plus petit modèle possible.

11. Ne remplissez pas votre assiette

Comme vous remplissez celle de votre cher et tendre ou de vos ados. De par leur nature, les hommes brûlent 1/3 de calories en plus. Si vous mangez comme eux, bonjour les kilos !

12. Faites-vous plaisir

Une à deux fois par semaine, pour éviter la frustration, source de boulimie, offrez-vous le morceau de fromage ou le petit gâteau que vous aimez tant !

13. Mangez plus de pâtes

Agrémentées de légumes cuits à la vapeur, les pâtes, de même que le riz, la semoule ou le blé concassé rassasient sans faire grossir. À condition, bien sûr, de ne pas les enterrer sous une tonne de parmesan !

14. Ayez la main légère sur le gras

Vous adorez les sauces d'accompagnement ou la mayonnaise ? Inutile de vous en priver complètement, mais apprenez à tricher. Pour la mayonnaise, remplacez la moitié de l'huile par du fromage blanc. Pour les vinaigrettes, remplacez la moitié de l'huile par de l'eau ou du jus de citron.

15. Supprimez les aliments salés...

... avant vos règles. Ils retiennent l'eau dans le corps et vous font gonfler. Favorisez les légumes à la vapeur sans sel mais rehaussez d'herbes de Provence et d'un filet de jus de citron, les viandes grillées et les fruits. Pendant une semaine, bannissez les eaux minérales trop riches en sodium, les plats et les sauces prêts à l'emploi.

16. Croquez une pomme...

... avant chaque repas. Cela vous calera et vous serez moins tentée de dévorer ! La pectine contenue dans les pommes vous permet de mieux contrôler votre appétit grâce à ses fibres solubles qui provoquent un effet de satiété.

17. Eliminez

Si vous êtes sujette à la rétention d'eau, c'est paradoxal mais il faut boire deux fois plus que quelqu'un qui ne l'est pas. Pour faciliter le drainage, pensez aux plantes : petit houx ou queue de cerise. Ne dépassez pas la dose prescrite pour ne pas fatiguer vos reins.

18. Réconciliez-vous avec votre micro-ondes

On y prépare de délicieux plats sans matières grasses. Placez le produit assaisonné (épices, herbes, condiments) sur une assiette et recouvrez-le hermétiquement d'un film alimentaire. Votre plat cuira dans son jus en développant tous ses arômes.

19. Ne mâchez pas... de chewing-gum

Même s'il est sans sucre, car il stimule l'appétit en faisant saliver.

20. Et surtout... pas d'effort de volonté !

S'il suffisait de volonté pour tenir ses bonnes résolutions, ça se saurait ! Vous avez déjà vu des minces faire appel à leur volonté pour ne pas finir la tablette de chocolat ? Faire appel à sa volonté pour contrôler son comportement alimentaire est signe d'une difficulté à percevoir les signaux de faim ou de rassasiement. Jouez donc sans vergogne les paresseuses qui s'écoutent en vous basant sur vos sensations.

chapitre 3

Comment grignoter sans culpabiliser

Êtes-vous une grignoteuse maligne ?

Il y en a qui grignotent comme on respire, sans en avoir l'air, sans se poser de questions, bref... en toute bonne conscience, jusqu'à ce qu'elles se trouvent devant un choix crucial : enfiler leur jean ou respirer !

On ne parle pas de grignotages intempestifs, d'orgies d'éclairs au chocolat ou de frites-mayonnaise, mais de mauvaises habitudes quotidiennes répétées, qui ne sont d'ailleurs souvent même pas conscientes. Sans compter les idées reçues tenaces sur le fromage ou les barres dites « de régime », par exemple. Le tout faisant que, en paresseuse qui se respecte, vous vous demandez en toute innocence pourquoi vous grossissez !

Sachez que vous pouvez grignoter, à condition d'être maligne (et de vous contrôler juste un tout petit peu – c'est même recommandé pour garder la ligne !).

Les dégâts du grignotage

Pour certaines, ce sont les petits croissants du matin au bureau ; pour d'autres, la tablette de chocolat dégustée tout au long de l'après-midi ou encore le paquet de chips le soir en regardant la télévision. O.K. ! chacune a ses habitudes, mais un coup d'œil à l'addition calorique devrait en refroidir plus d'une, car, évidemment, les aliments du grignotage sont des bombes caloriques, riches en sucre, en graisse ou, pire encore, les deux à la fois. Et c'est tout ce qu'on aime : barres chocolatées, cacahuètes salées, tortillas, bref... que du gras, du sucré, du calorique, du pauvre en minéraux et en vitamines. À l'évidence, grignoter, qui pourrait se définir comme « l'acte de manger sans faim entre les repas », fait grossir ! Il n'y a qu'à découvrir l'apport calorique de quelques douceurs pour s'en convaincre :

- 1 croissant 200 Kcal
- 100 g de cacahuètes 600 Kcal
- 1 pain au chocolat 280 Kcal
- 100 g de chips 580 Kcal
- 100 g de bonbons 600 Kcal
- 1 pain aux raisins 270 Kcal
- 1 éclair au chocolat 240 Kcal
- 100 g de gâteaux secs 440 Kcal
- 100 g de chocolat au lait 540 Kcal
- 250 ml de Cola 110 Kcal

D'autant que, si vous grignotez souvent, vous risquez de ne plus avoir faim au repas suivant et d'avoir par conséquent une alimentation déséquilibrée. Combattre en force le grignotage serait tout à fait vain ? D'accord, mais il y a quand même des solutions et des ruses de paresseuse pour grignoter sans se bourrer de calories. Vous pouvez vous autoriser, par exemple, une ou deux collations quotidiennes légères, dans le calme et accompagnées d'une boisson : œufs durs, fromage blanc, yaourts, blanc de poulet, avec une infusion, un soda *light* ou de l'eau aromatisée. Pensez aussi à un fruit et un yaourt, des céréales nature, seules ou avec un peu de lait, un petit morceau de pain avec de la compote sans sucre ajouté, deux carrés de chocolat avec deux tranches de pain complet, un milk-shake (lait écrémé mixé avec des fraises) dégusté lentement.

LES GRIGNOTEURS

Le grignotage touche une majorité de Français ? Selon une étude du CREDOC (Centre de recherche pour l'étude et l'observation des conditions de vie), 4 sur 5 d'entre eux mangeraient en dehors des 3 repas principaux. On distingue les petits grignoteurs (30 %), qui prennent moins de 100 calories par jour en dehors des repas ; les grignoteurs moyens (25 %), qui consomment 100 à 250 calories ; et les gros grignoteurs (23 %), qui avalent plus de 250 calories supplémentaires par jour.

Combien vous coûte votre grignotage ?

Les calories chipées à droite et à gauche s'accumulent inexorablement. Pour vous donner une idée, voilà ce qu'il vous en coûte en morceaux de sucre de 20 Kcal pièce :

Aliments	Equivalent en morceaux de sucre	Equivalent en calories
1 barre chocolatée	8 morceaux	60 Kcal
1 yaourt aux fruits	4 morceaux	80 Kcal
1 petit pot de compote	5 morceaux	100 kcal
1 canette de Cola	7 morceaux	140 Kcal
1 canette de soda aux agrumes	8 morceaux	160 Kcal
1 milk-shake	10 morceaux	200 Kcal

Mais au fait, pourquoi grignotez-vous ?

Que ce soit à cause du stress, par ennui ou sans raison, vous ne pouvez vous empêcher de manger entre les repas ? Vous êtes victime du syndrome du grignotage ! Chocolat, biscuits, chips, vous picorez toute la journée sans avoir véritablement faim. Quelques trucs de paresseuse peuvent vous aider à transformer votre vice en vertu…

Identifiez la cause

Si cette envie de grignoter vous prend uniquement de temps en temps et que vous ne vous mettez pas à dévorer des quantités astronomiques de nourriture, pas de problème, cela ne devrait pas avoir de retentissement sur votre poids ou votre santé. En revanche, si cette habitude est régulière, il est temps de trouver une solution. Le remède le plus simple est bien sûr d'arrêter de grignoter. Mais pour y parvenir, encore faut-il que vous essayiez d'identifier l'origine de ce besoin : ennui, stress, petit-déjeuner trop léger… ?

Grignotez léger

Le premier danger à éviter, ce sont les grignotages trop caloriques (portant sur des aliments riches en glucides et en lipides), de nombreuses études soulignant le rôle de cette mauvaise habitude dans les problèmes d'obésité. Il faut absolument parvenir à distinguer une envie de manger d'une faim véritable. La sensation de faim est normale quand elle intervient à distance de votre repas précédent. Mais si elle survient très rapidement, c'est que votre repas n'a pas été suffisamment copieux ou qu'il était mal équilibré.

Faites la différence

De quoi avez-vous envie au juste : d'un câlin ou d'une barre de chocolat ?

Faim physique	**Faim émotionnelle**
Ça arrive lentement.	Ça vous prend d'un coup.
Vous avez l'estomac dans les talons.	C'est dans la tête.
Apparaît plusieurs heures après le repas.	Rien à voir avec le moment.
Disparaît en mangeant.	Persiste en dépit de tout.
Procure un sentiment de satisfaction.	Provoque honte et culpabilité.

Évitez les pièges habituels

Comme négliger le petit-déjeuner ou le composer de sucres rapides trop riches. Vous sécrétez alors trop d'insuline et avez des fringales dans la matinée.

Comme manger en 10 minutes, debout, devant la télé ou en marchant. Résultat : les calories ne sont pas bien assimilées et vous risquez d'avoir faim 1 heure après.

Comme zapper carrément le déjeuner : bon moyen s'il en est pour prendre du poids en sur-stockant au repas suivant.

Comme s'accorder un bonbon par-ci, une douceur par-là et se retrouver avec un taux d'insuline qui joue le yo-yo.

LES BOURDES ALIMENTAIRES

Prendre 1 kg par an, voilà ce que vous risquez en avalant chaque jour un morceau de sucre excédentaire. Le pire étant que le sucre ne se cache pas toujours là où on l'attend :

- **1 paquet de biscuits fourrés au chocolat de 300 g = 15 à 20 sucres**
- **1 c. de sauce tomate industrielle = 1/2 sucre**
- **1/4 de baguette ou 4 biscottes = 6 sucres et demi**

Que faire en cas de fringale ?

Comment éviter de craquer ? Grignoter occasionnellement n'est pas préjudiciable pour votre organisme qui sait faire la part des choses et parvient à compenser automatiquement. En revanche, lorsque l'habitude s'installe, tout se dérègle. Il faut alors réinstaurer un vrai rythme alimentaire.

Concrètement, évitez tout simplement d'avoir faim et faites trois vrais repas : petit-déjeuner, déjeuner et dîner, dans lesquels tous les groupes d'aliments sont représentés, en particulier le pain et les féculents qui calment l'appétit et qui, s'ils sont consommés en quantité raisonnable, ne font pas grossir. Et si le désir est vraiment trop fort, grignotez « utile », en consommant des aliments qui présentent un intérêt nutritionnel certain comme les laitages ou les fruits.

Pour les vraies fringales de demi-journée, optez carrément pour une vraie collation avec pain, fromage ou laitage et fruit. Ou encore dites-vous qu'il y a des alternatives à la fringale.

Au lieu de grignoter...

Respirez-anticipez. Chaque fois que vous tendez la main vers... vous savez quoi – ce que vous ne devriez pas manger en la circonstance –, suspendez votre geste et inspirez-respirez en vous concentrant uniquement sur la joie que vous allez ressentir à l'idée de ne pas avoir craqué !

Donnez vos vêtements de taille XL. Car ce n'est pas une bonne idée de les garder au cas où. Tant pis si vous avez du mal à enfiler votre nouveau jean, au moins cela vous rappellera qu'il faut avoir la main légère sur les chips et la sauce bolognaise !

Ayez toujours des en-cas malins à portée de la main. Comme des mini-sachets de fruits déshydratés (pommes, ananas, fraises, abricots).

Occupez-vous les mains. C'est la diversion parfaite. Le choix est vaste : couture, bricolage, tricot et même ménage pour les plus vaillantes.

Jouez avec la nourriture, même si on vous a dit de ne pas le faire quand vous étiez petite. Jouez les artistes : déguiser des radis en souris, c'est toujours mieux que d'engouffrer une grosse part de pizza.

Dansez 3 minutes. Vous serez étonnée de l'impact que cela a sur l'envie de manger. En outre, bouger le temps d'un morceau de musique que vous aimez, c'est bien aussi pour l'humeur.

Enregistrez les bonnes données. En ayant en tête quelques snacks peu caloriques et susceptibles de vous combler immédiatement : galettes de riz, grosses fraises, tomates cerises, etc.

Gérez vos envies. Comme tous les manques, la phase aiguë de la fringale se situe au début, puis perd en intensité. Tenez le coup !

Faites des associations. Associez dans votre esprit les aliments sur lesquels vous craquez trop souvent avec des choses repoussantes ou polluantes pour votre organisme ; cela pourrait bien vous couper l'appétit.

Sachez gérer les moments critiques

En cas de fringale entre les repas, choisissez de préférence de boire un grand verre d'eau, de manger un yaourt ou de prendre un fruit accompagné d'un verre de lait. Évitez les aliments sucrés et/ou gras tels que les biscuits, les boissons sucrées, les chips, les viennoiseries, les chocolats, les cacahuètes... qui apportent beaucoup de calories sans calmer la faim.

Pour éviter les petits creux, le meilleur moyen est encore de faire 3 à 4 repas par jour et de manger en quantité suffisante pour « tenir » jusqu'au repas suivant. Si vous avez souvent une petite fringale en fin de matinée, faites un petit-déjeuner plus consistant en ajoutant un yaourt ou une tranche de pain. Si vous déjeunez légèrement, prévoyez une collation pour l'après-midi (yaourt et fruit, ou pain et fromage...).

Réponses aux situations critiques :

« J'ai souvent envie de grignoter »

(Surtout des trucs sucrés !)

Solution de la paresseuse : Une envie soudaine de sucre est souvent le signe que l'on n'a pas consommé suffisamment de sucres lents (légumes secs, pain complet…) et de légumes au cours du repas précédent.

« Je fais attention à manger suffisamment et de manière équilibrée au moment des repas, sous peine d'être prise de soudaines envies de grignotage. »

« Je picore quand je prépare le repas »

(Il faut bien goûter l'assaisonnement des plats !)

Solution de la paresseuse : Difficile de résister car c'est l'heure où l'on commence à avoir faim. Et il faut bien goûter pour vérifier l'assaisonnement…

« Je sais que, si je mange en cuisinant, il me faudra réduire les quantités dans mon assiette au moment du repas. Je me raisonne : il sera bien plus agréable de manger en toute convivialité. »

« Je craque pour les biscuits quand je donne le goûter aux enfants »

(Le pire, c'est que leur goûter est appétissant !)

Solution de la paresseuse : Lorsqu'on a fait un déjeuner équilibré mais pas trop abondant, il est parfaitement normal d'avoir un petit creux vers 4-5 h de l'après-midi.

« Comme les enfants, je m'offre moi aussi une petite collation pour ne pas arriver affamée au dîner : un fruit d'abord et éventuellement un carré de chocolat ensuite (rassasiée par le fruit, je ne craquerai pas sur la tablette entière), ou encore un yaourt light *aux fruits… »*

« Mes collègues mangent des barres chocolatées au bureau »

(Il y a tous les jours une bonne âme pour me tenter !)

Solution de la paresseuse : Les tentations, c'est fait pour y résister, et puis, hélas ! on n'est pas tous égaux devant les kilos.

« Je bois un grand verre d'eau ou je me prépare une tisane : surtout ne pas rester l'estomac vide pendant que les autres grappillent. »

« Au secours, je sors au restaurant ! »

(Et en plus j'aime ça !)

Solution de la paresseuse : La diététique n'est pas synonyme de « vie spartiate » : il n'y a pas de raison de se priver du plaisir d'une sortie conviviale au restaurant. Il s'agit d'apprendre à s'alimenter différemment en toutes circonstances.

« Je choisis de me régaler avec des aliments peu caloriques : fruits de mer, poissons et viandes grillées. Je reste attentive aux détails : pas de sauces, de mayonnaise ni de beurre, j'opte pour les cuissons en papillotes, au court-bouillon ou les grillades. Pour l'accompagnement, je remplace les frites ou les pommes de terre par des haricots verts, des tomates ou de la salade. Au dessert, une salade de fruits frais ou deux boules de sorbet, plutôt qu'une pâtisserie. »

« J'appréhende l'apéritif »

(Quand je commence à manger des trucs salés, je ne peux plus m'arrêter !)

Solution de la paresseuse : Comme son nom l'indique, l'apéritif donne faim. Faites une pause pendant un certain temps, votre teint vous dira merci.

« J'opte pour un jus de tomate ou un Perrier-citron plutôt qu'un verre d'alcool. Je profite des tomates cerises mais je zappe les gâteaux apéritifs. »

« Je suis invitée à dîner »

(Et en plus ce sont chez des amis qui cuisinent bien, mais gras !)

Solution de la paresseuse : Pas une raison pour les zapper, mais être sur ses gardes et leur offrir ce livre.

« J'apprécie les saveurs mais, comme je ne maîtrise ni les modes de cuisson ni les quantités de matières grasses utilisées, je réduis les quantités ; je ne me ressers pas. Et je fais l'impasse sur les fromages, donc sur le pain. Je profite aussi de la convivialité : il est plus facile de manger lentement en discutant. »

TRUCS DE PARESSEUSE POUR TROMPER VOTRE APPÉTIT

- N'attendez jamais d'avoir une faim de loup pour manger. Commencez à manger une demi-heure avant l'heure habituelle de vos repas.
- Serrez-vous la ceinture ! Sans exagérer, évitez de desserrer votre ceinture au moment des repas.
- Une demi-heure avant de manger, buvez un jus de fruits ou mangez-en un. Le sucre que contiennent les fruits, le fructose, calme le besoin en calories qu'exprime votre organisme par le signal de la faim.
- Juste avant de vous mettre à table, buvez un grand verre d'eau fraîche. Les muscles situés autour de l'estomac se contracteront et vous arriverez plus vite à satiété.
- Commencez le repas par une soupe ou un bouillon le plus souvent possible pour vous remplir l'estomac.

SNACK OU FILM, IL FAUT CHOISIR !

Le grignotage le plus explosif :	pop-corn sucré (100 g) = 390 Kcal
Le plus sucré :	Mashmallow (100 g) = 380 Kcal
Le plus classique :	cornet vanille-chocolat = 228 Kcal

Permis de grignoter

À l'apéro

Faites l'impasse sur les biscuits apéritifs, mais acceptez une coupe de champagne ou un verre de vin. Ensuite, mettez-vous à l'eau ! À table, prenez de tout mais ne vous resservez pas, qui plus est en pain ou en fromage, des aliments qui appellent instinctivement les envies de vin !

Au choix : 10 g de gruyère, ou des boules de melon à volonté, ou 1 œuf de caille, ou 5 olives, ou des tomates cerises ou des légumes nature, ou 10 g d'amandes (ou de noix de cajou).

PETIT BALLON, PETIT BEDON

1/2 litre de vin à 10° apporte autant de calories que 16 morceaux de sucre ou que 1/2 baguette de pain ! Tenez-vous-en donc à 1 petit ballon.

Au bureau

Ne soyez pas victime de la commande groupée : genre pizzas. Préparez-vous plutôt un sandwich maison avant d'aller travailler et, pour éviter les razzias au distributeur, emportez également des en-cas pour les petits creux, tels qu'un fruit, un yaourt ou un petit pain de seigle.

Au choix : 1 barre hypervitaminée, ou 10 g de fromage, ou 1 œuf dur, ou 1 fruit frais, ou 30 g de chocolat noir, ou 3 abricots secs (ou dattes, ou pruneaux).

À la maison avec des copains

Mettez mine de rien tout le monde à la diététique. Prévoyez, par exemple, une salade à la menthe et au fromage blanc à 0 % de MG, un plateau de fruits de mer ou du saumon servi avec des petites pommes de terre et saupoudré d'aneth. En dessert, une coupe de fruits frais... et le tour est joué !

Au choix : (à avaler avant le repas pour ne pas trop manger) 1 yaourt, ou 1/2 verre de lait d'amande, ou 40 g de tofu soyeux avec des fruits rouges, ou 10 g de chocolat noir, ou 1 tranche d'ananas, ou 1 banane séchée, ou 10 g de noix (ou d'amandes, ou de noisettes, ou de graines de tournesol).

Pendant le sport

Cette fois vous pouvez grignoter – si vous faites vraiment du sport, pas du lèche-vitrines !

Au choix : 1 tranche de pain de seigle avec 10 g de gruyère, ou 1 maki à l'avocat (ou au concombre, ou à la carotte) ou 15 g de céréales complètes, ou des légumes crus à volonté, ou 10 g de graines de lupin.

Les meilleurs aliments antifringale

Si vous n'êtes comblée qu'avec des sucreries, vos petits creux vont rapidement faire pencher la balance du mauvais côté ! Et vous avez beau savoir que le grignotage est le pire ennemi de la ligne, difficile de résister aux sucreries quand une fringale vous tenaille. C'est plus ou moins normal, car la sensation de faim est due à une baisse de la glycémie, le taux de sucre (glucose) dans le sang. Or, si ce dernier est le carburant essentiel des muscles et du cerveau, il ne doit pas être présent en excès. Le pancréas produit une hormone, l'insuline, chargée de réguler la glycémie. Mais, sécrétée en abondance après l'ingestion de trop de produits sucrés, elle chute brutalement. Très vite, c'est la fringale, le grignotage et, à terme... les bourrelets !

Pour éviter ce cercle vicieux, une seule solution :

Choisir les bons carburants

Les glucides

L'intérêt des glucides dépend de leur index glycémique (IG), c'est-à-dire du temps qu'ils mettent à passer dans le sang. L'index de référence est celui du glucose, le sucre le plus hyperglycémiant : 100. Plus l'index d'un aliment est bas, plus sa vitesse de diffusion dans l'organisme est lente, et plus la sensation de faim est retardée. Et contrairement à l'idée reçue, le fructose des fruits (IG = 20) passe moins vite dans le sang que celui du riz ou du pain blanc (IG = 70), pourtant riche en sucres complexes.

De plus, pour un même aliment, l'index glycémique varie selon la préparation et le mode de cuisson. Évitez, de toutes les façons, sucres lents et rapides dans le même repas, car trop de glucides deviennent difficiles à assimiler. En vous gavant d'aliments riches en sucre, vous vous créez paradoxalement des besoins accrus en sucre. Ce qui signifie que vous risquez facilement de tomber en état d'hypoglycémie (manque de sucre dans le sang), d'avoir des fringales et des coups de fatigue. Mais ne supprimez pas complètement les sucres, rapides ou lents : ils sont une source d'énergie pour le cerveau.

Les protéines

Saviez-vous que le corps brûlait 40 Kcal de plus par repas lorsque celui-ci était riche en protéines ? Ces dernières ont un effet « booster » pour le métabolisme sans que cela vous demande le moindre effort ! Un argument de poids pour en faire le plein.

De plus, les protéines sont essentielles à la préservation et à l'augmentation de la masse musculaire. Privilégiez donc les viandes maigres (dinde sans peau, jambon sans gras...), les œufs durs ou coque, le poisson, le fromage blanc allégé. Au total, il vous faut au quotidien environ 1 à 1,5 g de protéines par kilo de poids : ainsi, si vous pesez 60 kg, vous devrez consommer 60 g de protéines.

Les fibres

Trop complexes pour être assimilées par l'organisme, elles sont volumineuses et assurent une sensation durable de satiété. Les aliments qui en contiennent le plus sont les légumes verts et les féculents complets. N'hésitez pas à les associer à chaque repas, pour caler votre estomac. Une idée ? Retrouvez le plaisir d'une assiette de lentilles assaisonnées de jus de citron et de beaucoup de persil. C'est délicieux, et vous profiterez du meilleur antifringale qui soit, composé de sucres lents, de protéines, de fibres, de vitamines et de minéraux !

LA BONNE ATTITUDE

Les règles d'or antifringale pour éviter le grignotage intempestif :

- Choisissez des aliments qui contiennent de l'eau, **comme les fruits, les légumes, le lait écrémé ou les soupes. Vous maintiendrez une bonne hydratation et serez plus vite rassasiée tout en évitant les fringales.**
- Ajoutez des légumes à tous vos plats de pâtes **ou plats mijotés (brocolis, carottes, haricots verts, poivrons, petits pois, mini-épis de maïs, tomates cerises, etc.). De quoi vous remplir l'estomac à moindre frais et d'avoir votre quota de vitamines.**
- Faites le plein d'aliments riches en fibres **(légumes secs, céréales complètes, etc.). Ces aliments stabilisent le taux de sucre dans le sang et procurent une énergie de longue durée.**
- Mangez des protéines à tous les repas **(jambon maigre, blanc de poulet, tofu, etc.). Vous entretiendrez votre masse musculaire et vous calerez votre estomac durablement.**
- Cherchez des alternatives « allégé en graisse ». **10 cuillérées de mayonnaise allégée équivalent à 1 seule cuillérée de mayonnaise ordinaire. Pourquoi vous plomber de calories lorsque les propriétés gustatives se valent ?**

En cas de petit creux

Vous avez sauté le petit-déjeuner ou fait un repas trop léger ? Offrez-vous la bonne collation, avec un grand verre d'eau, un thé ou une tisane.

Version salée

- 1 petit sandwich au pain complet avec 1 tranche de jambon maigre
- 1 petit sandwich au pain de seigle avec 1 barquette de fromage allégé
- 1 fromage blanc à 20 % de MG et 2 tranches de Wasa (pain suédois)

Version sucrée

- 1 kiwi ou 1 orange et 1 fromage blanc à 20 % de MG
- 1 banane
- 1 pomme
- 1 crêpe nature au sarrasin et 1 yaourt
- 1 yaourt nature et 3 abricots secs
- 1 petit gâteau de semoule maison

LES ALIMENTS ANTI-COUP-DE-BARRE

À supposer que vous grignotiez pour vous soutenir, certains aliments vous seront d'une aide précieuse lors des périodes de fatigue :
— Pour chasser le stress : le brome, qui se trouve dans la mandarine, soulage la nervosité ; l'acide folique, contenu dans les épinards, le chou ou les asperges, est un excellent remontant ; le magnésium calme le système nerveux.
— Pour retrouver la pêche : la vitamine C fortifie l'organisme et développe les défenses immunitaires. Vous en trouverez dans les agrumes, le kiwi, la fraise, le cassis, le chou et la carotte (attention au sucre !)…

LE *BEST OF* DES COUPE-FAIM

- 1/2 litre d'eau ou de thé vert = 0 Kcal
- 5 bâtonnets de surimi = 47 Kcal
- 1 tranche de melon = 51 Kcal
- 1 tasse de fromage blanc à 0 % de MG (45 Kcal), salé, poivré + 1 belle poignée de carotte, tomate et concombre émincé (25 Kcal) = 70 Kcal
- 1 pomme = 73 Kcal
- 2 tranches de blanc de poulet (86 Kcal) ou de dinde (88 Kcal)
- 1 bol de fraises (50 Kcal les 150 g)
- 2 œufs durs = 146 Kcal
- cocktail de jus de tomate (27 Kcal) et de jus de citron (48 Kcal) + 1 œuf dur (73 Kcal) = 148 Kcal

Craquez mais à la légère

Inventez une nouvelle façon de vous nourrir. D'abord, sachez compter en prenant systématiquement connaissance de la composition nutritionnelle des aliments que vous achetez. En repérant la valeur calorique des aliments, vous pourrez grignoter en connaissance de cause, sans faire d'excès. Vous apprendrez à vous arrêter de manger quand le plaisir que vous éprouvez disparaît, car les calories que vous consommez au-delà de cet instant crucial sont mises en réserve dans vos cellules graisseuses.

Grignotez « utile »

Essayez de donner à votre grignotage un intérêt nutritionnel. Pour cela, le plus simple est de manger des fruits. Ceux-ci vous apporteront, en effet, de nombreuses vitamines, notamment de la vitamine C. Choisissez plutôt des fruits riches en fibres (pommes, fraises...) qui, en plus de faciliter votre transit intestinal, devraient vous rassasier rapidement.

Valeur énergétique des fruits

○ 1 grappe de raisin de 100 g	72 Kcal
○ 1 poignée de cerises de 100 g	68 Kcal
○ 1 pomme	65 Kcal
○ 1 kiwi	50 kcal
○ 2 clémentines	45 Kcal
○ 1 bol de fraises de 100 g	35 Kcal

Alternez votre consommation de fruits avec des produits laitiers tels que des yaourts, en évitant d'y ajouter du sucre. Ceux-ci vous apporteront notamment du calcium nécessaire à votre corps. Vous pouvez même prendre du fromage, à condition qu'il soit allégé.

Valeur énergétique de produits laitiers

○ 1 yaourt aux fruits	138 Kcal
○ 1 yaourt sucré	86 Kcal
○ 1 yaourt nature	58 Kcal
○ 1 part de fromage allégé	30 Kcal

SOLIDE OU LIQUIDE : LE MATCH

Il n'y a pas de petits bénéfices...

Solide	Liquide
Pomme (100 g) = 48,6 Kcal	**Compote (100 g) = 86 Kcal**
Orange (150 g) = 63 Kcal	**Jus d'orange (15 cl) = 70 Kcal**
Tomate (50 g) = 10 Kcal	**Gaspacho (10 cl) = 35 Kcal**
Yaourt nature (125 g) = 63 Kcal	**Yaourt à boire (180 g) = 142,5 Kcal**

Ne résistez ni à la gourmandise…

… ni au croquant d'une carotte, au fondant d'une poire ou à la fraîcheur d'une salade ! Vous êtes devenue une accro des fruits et des légumes (vous avez lu attentivement le chapitre précédent), il ne vous reste donc plus qu'à adopter la « fraîcheur attitude » en toutes circonstances :

- Au marché, inspectez bien les fruits et les légumes avant de les acheter.
- Évaluez vos besoins pour quelques jours, pour éviter de stocker trop longtemps.
- Variez vos achats.
- Ne conservez pas vos fruits et légumes dans leur sac plastique. Essuyez-les avec du papier absorbant et placez-les dans le bac à légumes du réfrigérateur.
- Isolez les bananes qui accélèrent le mûrissement des autres fruits.
- Préparez vos crudités au dernier moment car les légumes frais, une fois coupés, épluchés, râpés, deviennent fragiles et s'oxydent à l'air en dégradant leurs vitamines.
- Pendant que le café du matin passe, confectionnez-vous un jus d'agrumes pressés (pamplemousse, orange, citron). En été, variez avec un jus de légumes (concombre, céleri, tomate, carotte).
- Ajoutez à votre bol de céréales quelques fruits rouges ou des dés de pomme.
- Pas le temps d'aller déjeuner ? Préparez-vous une grande barquette de fromage blanc avec des fruits ou des légumes coupés en dés.
- Rappelez-vous que le jus de 1/2 citron pressé dans un grand verre d'eau apporte 10 mg de vitamine C.

- N'ajoutez pas de sucre dans vos salades de fruits, mais mélangez des fruits de saveur douce, tels que la banane, la poire ou la mangue, à des fruits plus acidulés, comme les fruits rouges ou la pomme granny smith.
- Équilibrez vos sandwiches en les garnissant de tomate, concombre, salade, de « tagliatelles » de carotte, de rondelles de radis roses ou noirs et champignons.
- Pour vos salades, variez les plaisirs. Pensez « chou-fleur, chou rouge, champignons de toutes sortes, asperges, courgettes », etc. Vous pouvez aussi, selon les saveurs, ajouter des rondelles d'orange ou de citron ou même des fraises.

POUR NE PAS SE PRIVER...

Vous reprendrez bien une crème allégée au chocolat ? Ben voyons, sauf qu'« allégé » ne veut pas dire « sans calories » ; alors mieux vaut y regarder de plus près :

Les desserts allégés – **mousse au chocolat noir, crème aux œufs, etc. Goût préservé, calories divisés par deux, lipides divisées par quatre, mais gare aux glucides !**

Les laitages édulcorés – **desserts aux fruits rouges, poire façon « melba », etc. Bien quand on fait attention, aussi allégés qu'un yaourt aux fruits à 0 %. Conclusion : ne pas s'en priver si l'on aime.**

Compotes sans sucre ajouté – **vraiment sans sucre, à l'exception de celui des fruits, nouvelles associations étonnantes qui ne représentent pas de danger pour la ligne.**

Craquez... mais *light*

On peut aimer cuisiner de bons petits plats et s'en sortir avec une addition calorique allégée. Une touche de légèreté, au bout du compte, ça paye ! La purée maison, par exemple, c'est délicieux mais très calorique. Pour l'alléger, rien de plus facile : préférez la crème au beurre, panachez avec des légumes et surtout évitez d'ajouter un œuf. Légèreté en deux temps, trois mouvements.

Jouez la carte de la couleur

Carottes, chou-fleur, potiron, brocolis… se marient parfaitement avec les pâtes ou les pommes de terre. Vous pourrez ainsi diviser la quantité de féculents par deux et faire le plein en vitamines et minéraux. En bonus, sachez que les légumes s'allient merveilleusement à la saveur de la crème fraîche allégée.

Faites l'impasse sur le beurre

Avec ses 760 Kcal aux 100 g, le beurre plombe vos plats. Alors que la crème allégée à 15 % donne un résultat tout aussi onctueux. Doublée d'un peu de parmesan râpé, elle permet de diviser par trois la quantité de graisse.

Optez pour la cuisson à la vapeur

Tous les légumes, ainsi que les pommes de terre, se prêtent parfaitement à la cuisson à la vapeur. Ajoutez une noisette de beurre ou une touche de crème fraîche allégés, des herbes, un zeste de citron... et le tour est joué.

PLUTÔT CECI ? PLUTÔT CELA ?

ÇA NON !	ÇA OUI !
800 g de pommes de terre **+ 25 cl de crème fraîche ou de lait entier** **+ 100 g de beurre, sel, poivre**	**400 g de pommes de terre** **+ 400 g de carottes** **+ 25 cl de crème liquide à 15 %** **+ 25 g de parmesan frais râpé, sel, poivre**
Total = 350 calories la portion	**Total** = 163 calories la portion

BON À SAVOIR : LE TOP DE 6 LÉGUMES LES MOINS CALORIQUES

- **Le concombre = 10 Kcal/100 g**
- **La tomate = 15 Kcal/100 g**
- **L'endive = 15 Kcal/100 g**
- **La courgette = 17 Kcal/100 g**
- **Le céleri = 20 Kcal/100 g**
- **L'aubergine = 22 Kcal/100 g**

Craquez mais pour le bon

Pour vous faire plaisir occasionnellement et en toute connaissance de cause :

L'objet du délit	**Croissant**
Les conséquences	125 Kcal
Conseil	Raisonnablement calorique mais gras ; à déguster le dimanche seulement
L'objet du délit	**Palmier**
Les conséquences	200 Kcal
Conseil	Plus calorique mais moins gras que le croissant ; entre deux maux !
L'objet du délit	**Pain au chocolat**
Les conséquences	280 Kcal
Conseil	Bon mais gras à souhait ; à réserver aux enfants !
L'objet du délit	**Pain aux raisins**
Les conséquences	270 Kcal
Conseil	La crème pâtissière fait grimper l'addition.

L'objet du délit	**Flan**
Les conséquences	140 Kcal
Conseil	Pas trop calorique. À base de lait et d'œufs, il est riche en protéines : ça donne bonne conscience !
L'objet du délit	**Meringue**
Les conséquences	120 Kcal
Conseil	Championne de la légèreté toute catégorie ; ce n'est pas une raison pour s'en bourrer.
L'objet du délit	**Sablé**
Les conséquences	275 Kcal
Conseil	A l'air anodin mais dégouline de beurre !
L'objet du délit	**Chausson aux pommes**
Les conséquences	300 Kcal
Conseil	On frôle l'overdose de sucre !
L'objet du délit	**Congolais**
Les conséquences	130 Kcal
Conseil	Léger – vous en reprendriez bien un second ?
L'objet du délit	**Pithiviers**
Les conséquences	530 Kcal
Conseil	Une vraie tuerie !!!

LES BONS CHOIX DU GRIGNOTAGE

- 1 pomme (80 Kcal) plutôt que 1 barre chocolatée (250 Kcal)
- 1 fromage blanc (120 Kcal) plutôt que 1 crème dessert (170 Kcal)
- 1 soda *light* (0 Kcal) plutôt que 1 soda classique (40 Kcal)
- 1 pain au lait (130 Kcal) plutôt que 1 pain au chocolat (200 Kcal)
- 2 à 3 petits-beurre (90 Kcal) plutôt que des biscuits chocolatés (180 Kcal)

L'apéro sans accro

Si l'apéritif permet de commencer un repas de manière conviviale, c'est aussi un lieu de perdition. Où est le plaisir gustatif après avoir avalé, sans y penser, quelques poignées de cacahuètes, une demi-douzaine d'olives et moult biscuits salés au fromage ? Vous avez déjà fait l'addition ? Livrez-vous sans pudeur à ce petit exercice (à l'aide d'une table des calories) sans oublier les deux ou trois verres d'alcool qui ont accompagné vos agapes.

Pour remplacer les alcools lors de l'apéritif, pensez aux jus de légumes plutôt qu'aux jus de fruits trop sucrés qui attisent l'appétit. Un jus de tomate avec une branche de céleri ou un cocktail carotte / jus de citron vous caleront l'estomac grâce à leur grande teneur en fibres.

En résumé :

La paresseuse évite :

— les rondelles de saucisson et les petites saucisses ;

— les cacahuètes et toutes les graines et les chips grasses et salées ;

— les cubes de fromage.

La paresseuse limite :

— l'alcool : elle zappe les apéritifs alcoolisés, très caloriques. Pour accompagner ses amis, elle pourra se permettre une coupe de champagne ou un verre de vin pendant le repas.

La paresseuse savoure :

— un jus de tomate, un soda *light* ou une eau pétillante agrémentée d'une rondelle de citron ;

— les tomates cerises ;

— les bâtonnets de carotte en dés ou de légumes crus : chou-fleur, céleri, concombres ;

— les crevettes et les dés de poisson cru marinés au jus de citron.

COUP D'ŒIL ÉDIFIANT

Valeur énergétique pour 100 g de certains amuse-gueule :

Pistaches	599,4 Kcal
Noix de cajou	597, 4 Kcal
Cacahuètes grillées salées	596,1 Kcal
Amandes salées	575 Kcal
Chips	515, 6 Kcal
Biscuits salés	476 Kcal
Mélange de fruits secs	378,2 Kcal
Mini-saucisses	308 Kcal
Fromage en cubes apéritifs	283,6 Kcal
Olives	205,4 Kcal

Le lunch pas bâclé

Si vous savez que le repas de midi sera pris sur le pouce… et que vous finirez de toute façon par craquer sur une barre de chocolat providentiellement stockée dans le tiroir de votre bureau, assurez-vous de prendre le temps de faire un petit-déjeuner suffisamment copieux, afin d'être beaucoup plus performante toute la journée.

Vos options « déjeuner équilibré »

Le sandwich

Si vous devez manger sur le pouce à midi, optez pour un sandwich. Bien choisi, il peut faire office de déjeuner sain et équilibré. Jambon-fromage ou sandwich fraîcheur : dans tous les cas, évitez le beurre ou la mayonnaise. De plus, pour être complet, votre repas-sandwich devrait être composé d'un produit laitier, d'un fruit et de légumes en crudités. Vous souhaitez alléger votre déjeuner ? Gardez votre dessert pour plus tard, afin de combler une petite faim dans l'après-midi en évitant ainsi un mauvais grignotage.

La pizza

La pizza n'est pas forcément diabolique, même si la double – fromage – chipolatas – lardons – ou – chorizo n'est pas un modèle d'équilibre alimentaire. Mais, avec un peu d'imagination, les paresseuses ont le droit de craquer sur la pizza au déjeuner ; il leur suffit de choisir les ingrédients, à pâte fine, avec des protéines maigres et des légumes et de composer correctement leur menu d'accompagnement. L'idéal est de manger une pizza avec une salade verte ou quelques rondelles de tomate. Les crudités ont l'intérêt d'apporter des fibres qui « calent » efficacement. En revanche, comme la pâte contient déjà des sucres lents, inutile de rajouter du taboulé, de la salade de pâtes ou de riz, ou même du pain. En dessert, zappez le gâteau ou la tarte et préférez une salade de fruits frais.

Les plateaux-repas

Vous pouvez vous faire livrer un plateau-repas sur votre lieu de travail. Les plateaux-repas sont très pratiques et offrent tous une option « légèreté », avec sauce à part et yaourt plutôt que fromage, et salade de fruits à la place de la pâtisserie.

En résumé :

La paresseuse évite :

— les quiches souvent grasses ;

— les salades composées avec une sauce toute faite ;

— les sandwiches à base de mayonnaise ;

— les sodas ;

— les paninis, les hot dogs et les croque-monsieur remplis de fromage ;

— les glaces et autres milk-shakes très sucrés.

La paresseuse préfère :

— un sandwich classique, si possible au pain complet – jambon-fromage par exemple –, éventuellement agrémenté de rondelles de tomate ou de feuilles de salade ;

— un hamburger simple si elle n'échappe pas au fast-food ;

— une salade avec la sauce à part ;

— au dessert : fruit ou yaourt (seulement si elle a encore faim) ;

— à boire : de l'eau ou un soda *light* aux fruits…

La paresseuse apprend :

— à ne pas finir son sandwich s'il mesure 1 m de long !

Le resto sans les kilos

Déjeuner d'affaires, repas en amoureux, anniversaire à fêter, frigo vide... vous allez au resto. Et l'ambiance aidant, vous voilà en train d'avaler en grande quantité des plats trop riches. Ne croyez-vous pas que vous pourriez vous faire plaisir tout en évitant les excès ?

Prenons l'exemple du classique restaurant français qui propose généralement le choix entre plusieurs entrées et plats principaux, fromages ou desserts variés. Il est possible de limiter les erreurs nutritionnelles et les apports en calories :

- **Entrée :** évitez, le plus souvent possible, de choisir celles avec de la mayonnaise comme le céleri rémoulade, les œufs ou l'avocat mayonnaise, ainsi que les charcuteries. Portez votre choix sur des crudités ou une salade légèrement assaisonnées.
- **Plat principal :** préférez des grillades de viande et des poissons plutôt que des plats en sauce. Quant aux légumes d'accompagnement, ne prenez des frites qu'occasionnellement. Choisissez plutôt des légumes verts, accompagnés, le cas échéant, de féculents (pâtes, riz, pommes de terre, légumes secs) en quantité raisonnable.
- **Dessert :** ne succombez pas trop souvent aux pâtisseries ou aux crèmes glacées. Préférez un fruit ou une salade de fruits. Fuyez tous les desserts à la crème chantilly.
- **Alcool :** si vous prenez un apéritif, évitez ou limitez l'alcool. Une coupe de champagne ou un verre de vin pour trinquer, pourquoi pas ? mais bannissez les alcools forts comme le whisky. Et si vous en avez la possibilité, choisissez un jus de légumes, de fruits ou simplement de l'eau gazeuse. Pendant le repas, limitez-vous à un verre de vin.

Dans tous les cas, n'hésitez pas à demander des aménagements au garçon : servir la sauce séparément, remplacer les frites par des haricots verts... Si le restaurant est de qualité, il accédera à vos désirs sans problème. Vous pouvez également opter pour deux entrées plutôt que le classique « entrée + plat ». Et enfin, vous n'êtes pas obligée de finir votre assiette !

Craquez... sans vous plomber

Quelques repères pour vous aider à faire les bons choix :

C'est moins calorique !	C'est plus calorique !
○ une coupe de champagne	○ un verre d'apéritif classique
○ une salade avec quelques morceaux de foie gras	○ deux tranches de foie gras avec des toasts
○ un rouleau de printemps	○ des nems
○ une omelette nature	○ une omelette au fromage
○ des pâtes au basilic	○ des pâtes à la crème
○ des pommes vapeur	○ des frites
○ du riz nature	○ du riz cantonais
○ une sauce de salade citron / huile d'olive	○ une sauce de salade à base de mayonnaise
○ du pain complet	○ du pain blanc
○ une coupe de fruits frais	○ une tarte aux fruits
○ un carré de chocolat avec le café	○ une part de dessert au chocolat

VINGT FAÇONS DE GRIGNOTER SANS VOUS ARRONDIR

1. Pensez à la vanille

Vous avez envie de gâteaux ? Pensez à la vanille, c'est l'une des cinq odeurs les plus appréciées au monde. Elle est utilisée comme « leurre olfactif » pour réduire l'envie de sucré en bouche. Lorsque vous avez envie d'une pâtisserie, respirez à fond l'odeur d'une boîte hermétique dans laquelle vous aurez enfermé une gousse de vanille en compagnie de trois ou quatre clous de girofle.

2. Arrêtez de stocker...

... des biscuits et du chocolat dans vos tiroirs de bureau. Optez pour des barres de céréales aux fruits, des compotes sans sucre ajouté ou... rien du tout ! Et en règle générale, avant de grignoter, buvez toujours un grand verre d'eau.

3. Éteignez la télé

Des chercheurs américains ont mis en évidence que regarder la télé plus de 2 heures par jour augmentait l'envie de snacks et de matières grasses.

4. Soyez prévoyante

Ayez toujours à portée de la main, dans votre réfrigérateur ou dans vos placards, des aliments peu caloriques : du fromage blanc, un yaourt à 0 %, du pain azyme, des carottes ou du céleri, ou encore des champignons de Paris frais, des pommes, des fraises, etc.

5. Régalez-vous...

... d'une bonne soupe. Très peu calorique, la soupe remplit l'estomac et vous apporte beaucoup de fibres. Elle est facile à réaliser et peut se conserver plusieurs jours au frigo.

6. Demandez-vous...

... en toute bonne foi, si vous avez vraiment faim ou si votre envie ne résulte pas d'un désir de réconfort ou d'un petit câlin.

7. Soyez occupée

Ayez toujours une occupation, car le désœuvrement et l'ennui poussent généralement à manger pour « passer le temps ».

8. Soyez vigilante

Ne faites jamais deux choses à la fois : par exemple, travailler en mangeant, en lisant ou en regardant la télé. Il est important que vous gardiez le contrôle de la situation.

9. Buvez

D'une part, parce que boire coupe un peu la faim en remplissant l'estomac. D'autre part, parce que nombreuses sont celles qui ne savent pas faire la différence entre les sensations de faim et de soif... et ce que vous prenez pour une fringale n'est bien souvent que de la soif !

10. Asseyez-vous

Manger est une activité à part entière, qui demande de prêter attention à ses actes. Pas question de rester debout, même pour un repas pris sur le pouce. Bien installée, vous assimilerez mieux la nourriture et, du coup, vous limiterez vos portions.

11. Congelez...

... des fruits tels que le raisin, la cerise ou la mirabelle, en les choisissant bien mûrs. Et lorsque surgit l'envie d'une petite douceur, allez farfouiller dans le congélateur et laissez fondre ces bonbons-fruits dans votre bouche avant de les savourer.

12. Aromatisez

De nombreuses marques d'eau minérale commercialisent des eaux à la menthe, au citron ou à l'orange sans ajout de sucre. Leur goût agréable permet de se faire plaisir sans pour autant dérégler son appétit.

13. Sélectionnez

Si le riz à cuisson rapide a un index glycémique élevé de 85, le riz basmati et le riz complet ne dépassent pas 50 ; à favoriser donc pour éviter les coups de pompe.

14. Prévoyez

Vous n'avez pas le temps de cuisiner ? Il est toujours possible de trouver un moment. Préparez votre repas de midi la veille et profitez des week-ends pour surgeler vos plats de la semaine.

15. Optez pour...

... le poulet : un bon moyen de lutter contre les tentations d'un buffet. Selon une étude menée à l'université de Laval au Québec, les personnes qui favorisent les aliments riches en protéines (comme les viandes, que vous choisirez maigres) absorbent environ 164 calories de moins par jour que les autres.

16. Allégez

Pourquoi des laitages allégés ? Parce que, même aromatisés, ils ont moins de calories que les autres !

17. Brossez-vous les dents

Vos grignotages entre les repas présentent un risque pour vos dents. Évitez donc les aliments acides comme les sodas, Cola et jus de fruits qui favorisent la déminéralisation de l'émail. Buvez de l'eau ou du lait.

18. Croquez dans les agrumes...

... au lieu de vous faire des jus de fruits, car un agrume pressé ne contient plus de fibres ou très peu.

19. Inversez !

Si vous n'êtes pas fan des fruits après le repas, eh bien, mangez-les en entrée ! On a l'habitude de manger du melon, de la pastèque ou du pamplemousse en premier plat : mais pourquoi ne pas s'offrir une pomme, une poire ou une grappe de raisin ?

20. Arrêtez...

... de vous donner des ordres ! À la place de « Je dois... », employez « Je choisis de... ». Presque infaillible pour tenir vos bonnes résolutions !

chapitre 4

Comment décrocher du chocolat sans vous en priver

Croquer du chocolat sans prendre un gramme, est-ce possible ?

Incontournable, non négociable, votre passion du chocolat ? Rassurez-vous, aucune personne sensée ne s'aventurerait à vous interdire le chocolat pour une quelconque raison. Quoique… si le plaisir se conçoit et même se justifie, la gourmandise éhontée ou la boulimie débridée, elles, sont des causes plus difficiles à défendre. Le verdict ? Prenez la bonne résolution de croquer l'onctueux carré sans honte mais avec raison. C'est-à-dire qu'une paresseuse qui se respecte évitera de se jeter sur la tablette par pur dépit ou chagrin amoureux. Elle ne se punira pas non plus en s'en privant totalement mais appréciera à l'occasion quelques carrés de chocolat de qualité. Le but étant qu'au final, elle devienne incollable sur l'objet de sa passion et se libère enfin de sa sempiternelle culpabilité !

Toute la lumière sur le carré « plaisir »

Une paresseuse peut-elle être accro du chocolat ? Existerait-il une toxicomanie en la matière ?

Il est vrai que certaines paresseuses (celles qui en consomment massivement) croient ne pas pouvoir s'en passer, surtout lorsqu'elles sont fragiles et angoissées, car le chocolat peut jouer les substituts affectifs. L'état de manque ou la dépendance qui caractérisent les vraies toxicomanies n'ont tout de même pas été prouvés chez les personnes accros au chocolat. Disons qu'il s'agirait plutôt d'une « chocolatomanie » que l'on pourrait définir comme la consommation excessive de chocolat – supérieure à 100 g par jour (soit une tablette) – depuis plus de 3 mois. Rassurez-vous donc, ce n'est pas parce que vous consommez quelques carrés après les repas ou au goûter que vous êtes perdue. Le chocolat, ce n'est pas une drogue dure ! Pas de culpabilité excessive donc, il ne faut pas confondre l'envie de manger du chocolat (normal, c'est tellement bon) avec une dépendance !

BON À SAVOIR

La consommation moyenne de chocolat en France est moins importante que dans d'autres pays, notamment européens : 6,8 kg par an et par Français, contre 9,9 kg pour nos voisins Suisses.

Ange ou démon ?

Paré de nombreuses vertus – euphorisant, antistress, stimulant, aphrodisiaque – et accusé de presque autant de maux – obésité, « crise de foie », toxicomanie –, le chocolat n'est en fait « ni tout blanc ni tout noir ». Tout dépend de l'usage qu'on en fait. Voici un petit tour d'horizon des idées reçues qui pourrait bien servir à déculpabiliser plus d'une paresseuse...

Le chocolat favorise le cholestérol

Comparée au beurre, la consommation de cacao n'a pas d'effets néfastes sur le taux de cholestérol ; celle d'une barre de chocolat au lait est même associée à une augmentation du « bon » cholestérol, ainsi qu'à une diminution des triglycérides (acides gras du sang). En effet, la teneur en cholestérol du chocolat est très faible, voire négligeable : 1,3 mg pour 100 g en moyenne. Le beurre de cacao contient des acides gras qui ont une action favorable sur le « bon » cholestérol (HDL), l'acide oléique (acide gras mono-insaturé), qui a la propriété de faire baisser le taux de cholestérol LDL sans faire baisser celui du cholestérol HDL, protecteur. Le beurre de cacao contient aussi de l'acide stéarique, un acide gras saturé, qui se transforme en acide gras mono-insaturé une fois dans l'organisme.

Le chocolat provoque des crises de foie

Contrairement à une opinion très répandue, le foie n'intervient pas directement dans la digestion. Son rôle est postérieur à cette étape. Le terme de « crise de foie », affection dont seuls les Français semblent souffrir, provient d'une indigestion due à une orgie de chocolat démesurée ou alors d'une réaction psychosomatique !

Le chocolat n'est donc pour rien dans ladite crise de foie. Les tests biologiques le prouvent. Mais l'abus de chocolat provoque des troubles biliaires. En effet, les lipides qu'il contient, comme ceux contenus dans d'autres aliments, favorisent la contraction de la vésicule biliaire. Contraction douloureuse si vous avez des problèmes de vésicule biliaire.

Le chocolat est difficile à digérer

Disons que ce n'est pas tout à fait faux. Il faut que le chocolat consommé soit de bonne qualité et, surtout, il faut éviter de le manger après un repas trop copieux. En revanche, le chocolat diminue le tonus du sphincter inférieur de l'œsophage. Résultat : quelques reflux gastriques sont à prévoir si vous y êtes sujette et si vous mangez trop de chocolat !

Le chocolat provoque des allergies

Le chocolat ne semble pas provoquer de graves réactions allergiques. En effet, une réaction allergique est le résultat de l'introduction d'« allergènes » dans l'organisme. Des anticorps reconnaissent ces allergènes comme intrus et contribuent à libérer les substances qui provoqueront la réaction allergique. Classé dans les allergènes rares, une étude montre qu'il a été impliqué dans 0,8 % d'une série de 383 adultes allergiques. Il est possible que ce ne soit pas tant le cacao lui-même que les protéines auxquelles il est associé (protéines du lait, du soja) qui puissent être tenues responsables de manifestations allergiques.

Le chocolat favorise l'acné

Le chocolat ne provoque pas plus de crise d'acné que la pluie ! Les dermatologues s'accordent à dire que ce sont notamment des facteurs psychiques, comme le stress, qui favorisent la crise de boutons. De plus, l'acné n'a pas de cause unique. Seul le jeûne total (déconseillé) réduit la sécrétion de sébum de 30 % environ.

Le chocolat cause des caries

Dans le palmarès des aliments les plus sucrés, le chocolat n'arrive qu'en 7e position, bien après le raisin, les frites ou le pain. Quant au cacao, il n'est pas nocif pour les dents, bien au contraire, il contient trois substances au pouvoir anti-carie garanti : le tanin du cacao contient du polyhydroxyphénol qui stoppe le développement des microbes, du fluor qui protège de la carie en renforçant l'émail, et les phosphates de cacao attaquent les acides formés par les sucres. Autre avantage : le chocolat quitte la bouche plus vite, ses glucides restent donc moins longtemps en contact avec les dents.

Le chocolat excite

Le chocolat contient naturellement des substances chimiques toniques appelées « méthylxanthines », dont l'une des principales est la caféine. Même si la teneur en caféine du chocolat est dérisoire par rapport à celle du café, les méthylxanthines ont des actions psycho et cardio-stimulantes, diurétiques et vasodilatatrices. Mais difficile toutefois de se doper au chocolat, il vous faudrait sans doute en avaler des tonnes !

Le chocolat constipe

Les tanins du chocolat stimulent la contractilité des fibres musculaires lisses des parois intestinales, ils ne constipent pas. De plus, 100 g de chocolat noir contiennent près de 15 g de fibres alimentaires favorisant le transit intestinal.

Le chocolat est interdit aux diabétiques

Contrairement à ce que l'on pensait autrefois, les glucides ne doivent pas être réduits de manière draconienne, mais bien contrôlés. Pour les personnes atteintes de diabète insulinodépendant, l'impact d'une barre chocolatée sur le niveau de sucre dans le sang n'est pas plus important que celui d'une pomme ou de céréales. Les diabétiques doivent limiter, sans le supprimer, leurs apports en sucres simples. Le chocolat est un aliment à index glycémique bas – ce qui signifie qu'il n'entraîne pas d'élévation brusque de la glycémie.

Le chocolat peut donner la migraine

À lui seul, le chocolat ne peut pas provoquer de migraine, mais il est vrai qu'il contient de la tyramine, acide aminé incriminé dans le processus d'apparition de la migraine, qui joue un rôle indirect sur la stimulation du système nerveux sympathique. Cette substance, la tyramine, est dégradée dans le corps par une enzyme. Si cette enzyme est déficitaire, cela provoque des crises de migraine. Mais le phénomène reste rare car le chocolat en contient si peu qu'il faut en consommer beaucoup, ou l'associer à d'autres aliments riches en tyramine au cours du même repas, pour qu'apparaisse une migraine.

Le chocolat est un antistress et un antidépresseur

La composition détaillée du chocolat révèle la présence de substances tonifiantes : la théobromine (426 mg pour 100 g de chocolat noir), la caféine (66 mg pour 100 g), la phényléthylamine et la sérotonine. Ces substances auraient pour effet de bloquer les récepteurs d'adrénaline et donc de diminuer les effets du stress. Le chocolat contient également des dérivés d'acides gras, qui induisent des effets euphorisants. Le chocolat possède donc une certaine efficacité contre les états dépressifs. Mais des expériences ont montré que l'effet « antistress » du chocolat serait d'abord lié à son effet « plaisir » ! Il est en effet susceptible de faire sécréter des endorphines par l'organisme, substances qui ont un effet euphorisant. Autre atout, le chocolat est particulièrement riche en magnésium, un sel minéral au pouvoir apaisant.

LE CHOCOLAT DANS TOUS SES ÉTATS

Le chocolat est fabriqué à partir d'une fève, issue du fruit du cacaoyer, qui porte le nom de « cabosse ». Originaire des régions équatoriales, cette fève non comestible à l'état naturel subit de nombreuses opérations. Ainsi, c'est après avoir été broyée, torréfiée, concassée, raffinée qu'elle se transforme en chocolat, lequel diffère grandement d'un fabricant à l'autre. En la matière tout est affaire de talent !

« Demain j'arrête ? »

Surtout pas, même si vous êtes une « chocolatomane » ! D'accord, votre relation avec la… chose est puissante, constante et incontournable. Eh bien, assumez, au moins vous croquerez en toute bonne conscience ! Car sachez que plus vous vous interdirez le droit au plaisir de déguster un carré de chocolat, plus vous aurez des envies compulsives et dévastatrices pour votre ligne. Pour devenir une paresseuse qui mange du chocolat et reste mince, il faut donc vous débarrasser de votre culpabilité et ne plus diaboliser l'objet de votre passion. Rien de plus facile puisque vous avez toutes les bonnes raisons de succomber à la tentation.

Le chocolat vous fait fondre de plaisir

« Heureux chocolat, qui, après avoir parcouru le monde à travers le sourire des femmes, trouve la mort dans un baiser savoureux et fondant de leur bouche. » C'est ainsi qu'au XIXe siècle Brillat-Savarin résumait le plaisir procuré par le chocolat. Romantique, non ? Reconnaissez, sans mauvaise conscience, que le chocolat enthousiasme vos papilles, éveille vos sens et vous fait fondre de plaisir ! Qu'il vous apporte un certain réconfort et que la sensation en bouche qu'il procure est tellement agréable qu'elle vous rappelle votre enfance. Qu'il a une image de douceur, de récompense et que c'est un aliment festif (Noël et Pâques pour témoins). Que, blanc et crémeux, noir et mystérieux, au lait et onctueux, ses goûts subtils dépendent des différentes fèves de cacao et de sa texture croquante, fondante, enrobée, fourrée ou pralinée. Vous en avez l'eau à la bouche ? Eh bien, jouissez sans vergogne de vos sens, car – c'est prouvé – le plaisir, ça ne fait pas grossir !

Le chocolat vous détend

Lorsque vous vous jetez sur la tablette de chocolat aux premiers signes de coup de barre ou de déprime passagère, ce n'est pas tout à fait par hasard. Les études menées sur le cacao montrent qu'il est composé d'au moins 800 molécules différentes, dont certaines agissent sur le psychisme.

En effet, les vertus antidéprime qu'on lui attribue seraient notamment liées à la phényléthylamine et à la théobromine, qui ont une action stimulante sur le système nerveux, ainsi qu'à la sérotonine, un médiateur chimique utilisé comme antidépresseur qui pourrait, en outre, favoriser la réduction de l'appétit. Bonne excuse pour expliquer vos « pulsions chocolat » quand vous êtes anxieuse, stressée ou fatiguée !

Le chocolat améliore vos performances

Il améliore vos performances physiques et intellectuelles, rien de moins ! D'une part, le chocolat est une source de minéraux : phosphore, essentiel aux réactions chimiques à l'intérieur des cellules ; magnésium (110 mg /100 g de chocolat noir), qui agit favorablement sur le système nerveux ; calcium (230 mg /100 g de chocolat au lait et 173 mg /100 g de chocolat noir), pour garder de beaux os ; potassium, idéal pour les sportives au cours d'un effort musculaire ; et fer (0,5 mg), pour rester en forme.

D'autre part, comme le chocolat contient des glucides (et même beaucoup), il améliore les performances intellectuelles. Encore une bonne excuse, car le cerveau a besoin de sucre, 5 à 7 g par heure pour un fonctionnement optimal, une mémoire d'éléphant et une concentration à toute épreuve.

Le chocolat vous fait planer

Les carrés de chocolat vont-ils être déclarés hors la loi ? Ils contiennent en effet des substances proches des amphétamines : la tyramine et la phényléthylamine. Cette dernière agit au niveau des synapses dans le cerveau. Elle peut augmenter les effets d'autres neurotransmetteurs comme la dopamine. De plus, le chocolat contient des dérivés d'acides gras qui agissent sur les mêmes récepteurs que le cannabis !

Si le chocolat contient de nombreuses substances psychotropes, celles-ci pourraient bien ne pas être à l'origine de ses vertus. Car les quantités infimes ne suffisent pas à expliquer les effets de cet aliment. L'hypothèse de plus en plus reconnue est que le chocolat est un antidépresseur et un euphorisant… par le simple plaisir qu'il apporte. En satisfaisant les papilles, il entraîne l'augmentation du taux sanguin de bêta-endorphines, un opiacé fabriqué par l'organisme. Cette substance pourrait expliquer les vertus apaisantes d'un carré. Il aura ainsi fallu attendre des années de recherches pour apprendre que le chocolat, ça fait du bien… parce que c'est bon !

MYTHE OU RÉALITÉ ?

Il serait « théoriquement » possible de se droguer au chocolat. Mais la toxicité du chocolat ne semble apparaître qu'à des doses qui rendent peu probable une intoxication chronique. En effet, il ne faudrait pas moins de 11 kg de chocolat pour obtenir des effets significatifs chez une personne de 60 kg… Laquelle, soit dit en passant, risquerait de ne pas conserver bien longtemps son poids de départ et aurait donc besoin d'une consommation toujours accrue pour se remettre à planer !

Biographie des délices

Du carré « plaisir » au chocolat bon pour la santé, il n'y a qu'un pas que la paresseuse s'empressera de franchir dans le but avoué de satisfaire ses penchants. Car le chocolat tant décrié pour sa richesse en calories pourrait bien vous étonner par ses vertus cachées.

Les vertus de la tablette

En mangeant du chocolat, vous vous mettez sous la dent :

Des protéines

Bonne nouvelle, le cacao contient les 8 acides aminés indispensables à une alimentation quotidienne équilibrée.

Des lipides

Le chocolat est un aliment riche en graisses (30 à 35 % environ), mais les acides gras contenus dans le beurre de cacao – les acides gras mono et poly-insaturés – favorisent la baisse du taux de cholestérol.

La répartition des acides gras du beurre de cacao est la suivante :

- **Acides gras saturés** 60 %
- **Acides gras mono-insaturés** 35 %
- **Acides gras poly-insaturés** 5 %

Certes, le beurre de cacao contient beaucoup d'acides gras saturés, qui eux ont un effet néfaste et augmentent le « mauvais » cholestérol. Mais dans le chocolat, il s'agit en grande partie de l'acide palmitique, qui se transforme dans l'organisme en acide oléique (mono-insaturé). De plus, la teneur en cholestérol (favorisant le mauvais cholestérol) d'une tablette est très faible : 18 mg pour 100 g pour le chocolat au lait et 8 mg pour 100 g pour le chocolat noir.

Des glucides

Ce sont les sucres. Plus un chocolat est riche en cacao moins il contient de sucre. Le chocolat à 70 % ou plus en teneur en cacao est quasiment un « chocolat régime ». Sans quoi, il faut bien reconnaître que le chocolat est un aliment très sucré, puisqu'il contient entre 55 et 64 g de glucides pour 100 g selon les marques. C'est surtout le cas pour le chocolat à croquer (64 g / 100 g) qui est en revanche moins gras et peu salé. Il a longtemps été interdit aux diabétiques mais aujourd'hui, en raison de son index de glycémie modéré, il leur est permis à condition d'être consommé à la fin d'un repas complet.

De plus, les glucides du chocolat entraîneraient, notamment du fait de l'absence de protéines, une augmentation du tryptophane dans l'organisme. Or, le tryptophane est un produit particulier : lorsqu'il passe dans le cerveau, il est transformé en sérotonine. Cette substance est un neurotransmetteur qui joue un rôle primordial dans l'humeur. Ainsi, l'état dépressif serait lié à un manque de sérotonine. D'ailleurs, certains antidépresseurs fonctionnent en empêchant l'élimination trop rapide de cette substance dans le cerveau.

Des fibres

La quantité de fibres contenues dans 100 g de cacao (9 g) est la même que celle contenue dans 100 g de pain complet. Elle peut donc contribuer à régulariser le transit intestinal.

Du potassium

Il intervient dans l'excitabilité musculaire et dans le métabolisme cardiaque. C'est pourquoi le chocolat représente un apport tout à fait intéressant, notamment pour les sportifs.

Du magnésium

Le magnésium favorise un bon équilibre nerveux et régularise l'excitabilité musculaire. Une carence en magnésium favorise anxiété, fatigue, insomnie et constipation. Notre ration journalière devrait se situer autour de 350 mg. Or, le chocolat contient environ 100 mg de magnésium pour 100 g. Ce minéral intervient dans de nombreuses réactions enzymatiques intracellulaires. Il participe aussi à la transmission neuromusculaire de l'influx nerveux et est bien connu pour ses effets relaxants. D'ailleurs, un déficit entraîne une baisse de la dopamine, un neurotransmetteur impliqué dans les mécanismes du plaisir.

Du calcium

C'est l'élément minéral le plus important dans notre corps. Il joue un rôle fondamental dans le fonctionnement cellulaire et dans la constitution des os et des dents. À trouver, en dehors du chocolat, dans les produits laitiers : fromages, lait écrémé (aussi riche en calcium que le lait entier), yaourts, etc.

Du phosphore

Encore un sel minéral très important. Combiné au calcium, il constitue la trame osseuse. Les besoins journaliers moyens vont de 800 mg chez l'adulte à 1400 mg chez l'adolescent.

Du sodium

100 g de chocolat noir apportent environ 12 mg de sodium. Cette pauvreté en sodium lui permet d'être mangé par les personnes suivant un régime sans sel. Le chocolat au lait, en revanche, est à éviter, car 100 g renferment 100 mg de sodium.

Des antioxydants

Le chocolat contient une quantité importante de polyphénols, de puissants antioxydants qui vont neutraliser les radicaux libres produits en trop grande quantité par l'organisme lorsqu'il est soumis à la cigarette, à la pollution ou au stress. Notez que ces polyphénols aux vertus antioxydantes sont des substances présentes également dans les fruits et légumes, le thé et le vin. Elles agissent en limitant l'oxydation des lipides du sang – ce qui protège l'organisme du vieillissement cellulaire et des risques de maladies cardiovasculaires.

Les polyphénols sont à l'origine de l'amertume caractéristique du chocolat noir : celui-ci en contient d'ailleurs deux fois plus que le chocolat au lait. Mais les quantités à consommer pour une bonne prévention cardiovasculaire restent inconnues pour l'instant... Teneur en polyphénols en mg/g :

- **Cacao** 20
- **Chocolat noir** 8
- **Chocolat au lait** 5

Autres substances antioxydantes d'importance : les flavonoïdes, qui font partie des polyphénols. En tant qu'antioxydants, ils limitent aussi l'oxydation des lipides sanguins et contribuent à lutter contre le développement de la plaque d'athérome dans nos artères. Ils protégeraient même notre cerveau des méfaits de l'hypertension (à condition toutefois de consommer du chocolat noir intense).

PAS TOUS ÉGAUX

La teneur en polyphénols dépend des différences entre les fèves et les modes de préparation du chocolat. Certaines études ont ainsi mesuré des teneurs trois fois plus élevées en polyphénols dans certaines tablettes !

La tablette à la loupe

Chaque type de chocolat possède ses propres caractéristiques « santé » :

Le chocolat noir remporte la palme de la richesse en magnésium ! Avec 110 mg pour 100 g, il fait d'ailleurs partie des aliments qui en sont les plus riches. Une barre de 30 g couvre plus de 10 % des apports journaliers recommandés (AJR). Connaissant la fréquence des déficiences en magnésium, autant profiter d'un carré de chocolat à la fin d'un repas !

L'EFFET « NOIR »

Selon une étude publiée par l'*American Journal of Clinical Nutrition*, le chocolat noir, comparé au chocolat blanc, ferait baisser la tension artérielle. Les croqueurs de chocolat volontaires ont mangé pendant 15 jours du noir ou du blanc (quel bagne !). Résultat : le chocolat noir induirait une diminution de la pression systolique (période de contraction du cœur) et améliorerait la sensibilité à l'insuline.

Le chocolat au lait ne possède pas cet atout puisqu'il contient deux fois moins de magnésium que le chocolat noir. En revanche, il apporte un peu de calcium grâce au lait... Pas de quoi couvrir les besoins de la journée pour autant, puisque 30 g représentent seulement l'équivalent d'un fond de verre de lait.

Le chocolat blanc est fait de beurre de cacao associé à du lait et du sucre. Sur le plan nutritionnel, il est donc proche du chocolat au lait, mais en un peu plus gras. Surtout, il ne contient pas du tout de cacao, donc pas de polyphénols aux fameuses vertus « santé »...

Avec des amandes ou des noisettes, le chocolat devient encore plus gourmand. Ces fruits oléagineux apportent des graisses poly-insaturées de très bonne qualité, ainsi que du magnésium, du phosphore et un peu de fer végétal. Attention quand même à l'apport calorique final !...

PAS DE SOUCI

Nul besoin de se nourrir exclusivement de chocolat pour avoir sa dose de polyphénols. Le vin, le thé, les fruits et les céréales représentent les principaux antioxydants de l'alimentation. À condition d'avoir une alimentation équilibrée, on en consomme en moyenne 1 g par jour, soit 10 fois plus que la vitamine C et 100 fois plus que la vitamine E ou les caroténoïdes.

Bénéfices secondaires

Dans son *Traité des aliments* de 1702, Louis Lemery précise à propos du chocolat : « Ses propriétés stimulantes sont propres à exciter les ardeurs de Vénus. » On ne saurait être plus clair ! Et parmi les mets réputés propices aux joutes amoureuses, qui furent surtout en vogue au XVIIIe siècle, le chocolat figure en bonne place. Évidemment, à cette époque, il est de tradition de tenir divers mets pour excitants : gibier, ris de veau, moelle, cervelle, huîtres, homard, écrevisses, caviar, truffes et épices chaudes (cannelle, poivre, piment, muscade, gingembre, clou de girofle), sans oublier l'ambre et le musc, aujourd'hui disparus de la table. Il s'agit pour la plupart de mets de luxe que l'on prend plaisir à déguster en galante compagnie. Pas étonnant donc qu'il fut considéré comme détenteur de vertus secrètes.

Néanmoins, la légende sur les vertus aphrodisiaques du chocolat voyagea bien dans l'histoire. Dès la période aztèque, le cacao a la réputation d'être un excitant sexuel – il faut dire que la boisson préparée était agrémentée de piment, de poivre et de clous de girofle. On raconte qu'au XVIIe siècle, les indigènes indiens s'enduisaient les zones érogènes d'une bouillie de cacao, et ce afin que leurs baisers soient encore plus doux.

En 1624, un théologien fait paraître un écrit condamnant la consommation du chocolat dans les couvents, ce breuvage échauffant les esprits et les passions. La grande période des courtisanes (du XVIIe au XVIIIe siècle) est propice à une forte consommation de chocolat. Mme du Barry ne manquait pas, dit-on, de servir une bonne tasse de chocolat mousseux à ses amants. D'ailleurs, des gravures du XVIIe siècle et des estampes allemandes du XVIIIe montrent souvent des scènes où l'on peut voir des couples dégustant du chocolat chaud. Et les dames de Marseille se souvinrent longtemps du bal sulfureux qu'organisa le marquis de Sade, qui eut la brillante idée de distribuer à foison des pastilles de chocolat fourrées à la cantharidine, un puissant alcaloïde congestionnant (le Viagra de l'époque !). Sans compter Mme de Pompadour qui, si l'on en croit les écrits de Mme de Hausset, absorbait régulièrement des décilitres de chocolat ambré pour s'échauffer le sang, d'autant que Louis XV lui reprochait régulièrement sa « froideur ».

Aujourd'hui le terme d'*aphrodisiaque* n'est plus de mise, et l'on parle plus volontiers d'« aliment tonique, de plaisir, de douceur, de volupté », qui sont également des qualificatifs propres à l'amour… Alors le chocolat, complice de l'amour ? Mais certainement !

HISTOIRE DE GOÛT

Le cacao, constituant de base du chocolat, fut d'abord une monnaie sacrée chez les Indiens d'Amérique centrale. Christophe Colomb fut le premier Européen à le goûter. En Europe, il resta longtemps un médicament aux mains des apothicaires. La paternité du chocolat revient à l'anonyme qui, le premier, eut l'idée de sucrer le cacao. Les trois pères suivants passèrent à la postérité : Van Houten, pour avoir su extraire le cacao pur en poudre, Jean Tobler, pour y avoir ajouté du lait, et Henri Neslé, de la farine.

HISTOIRE DE QUALITÉ

Après extraction de leurs cabosses, les fèves de cacao sont fermentées puis torréfiées et broyées. On obtient alors la pâte de cacao qui va être mélangée, à chaud, avec du sucre. Les fabricants de chocolat y ajoutent alors plus ou moins de beurre de cacao (graisse naturelle se trouvant dans les fèves) ou de graisse végétale (notamment pour la fabrication du chocolat allégé). Il est ensuite moulé et réfrigéré. Quoi qu'il arrive, la qualité du chocolat dépend de la qualité et de la teneur en fèves.

De la passion à la raison

Où, quand, comment ?

Existe-t-il un « moment idéal » pour manger du chocolat ? Non, il n'existe pas de moment idéal, il n'y a pas d'heure pour les braves ! Après un repas, il faut 4 à 5 heures pour que la « vidange gastrique » soit complète. Donc, si vous mangez du chocolat 2 heures après un repas, il va se mélanger au reste des aliments. Certes, sa consommation entre les repas a les mêmes inconvénients que tous les grignotages. En revanche, il est clair que le type de consommation dans la journée traduit des comportements différents. Celle qui mange une barre à 16 h n'a pas le même rapport au chocolat que celle qui grignote toute la journée. Une consommation tard le soir, par exemple, traduit bien souvent un besoin d'apaisement (dans ce cas-là, n'oubliez pas de vous laver les dents !).

Calorique, oui mais...

Pour toutes les paresseuses qui ont des problèmes de poids, le chocolat est un aliment particulièrement culpabilisant. Lorsque l'on surveille sa ligne, on a l'impression de faire une faute grave en craquant sur un seul carré ! En vérité, il en va du chocolat comme de tous les aliments : une consommation en quantité modérée n'a aucune conséquence négative. Mais – c'est bien connu – certaines ne peuvent pas s'arrêter avant d'avoir dévoré la tablette. Là, une seule solution : révisez vos classiques et oubliez les régimes en tous genres en dévorant *Le Régime des paresseuses* !

Blanc, noir ou au lait, quelle incidence pour la ligne ? De manière générale, les tablettes au lait sont légèrement plus caloriques que le chocolat noir, mais la différence n'est pas énorme : respectivement 544 contre 519 calories pour 100 g. Comme tous les aliments, le chocolat ne fait pas grossir à proprement parler, surtout si vous ne croquez que quelques carrés ! Tout dépend de la manière et de la raison pour laquelle vous en consommez, tout comme n'importe quel autre aliment (sachez qu'une tablette de 100 g équivaut, par exemple, à 200 g de frites ou à 3 c. à s. d'huile). Vous pouvez donc faire le choix de remplacer l'assaisonnement de vos salades par du jus de citron et vous accorder, en compensation, un carré de chocolat noir ou une amande chocolatée pour accompagner votre café.

Valeurs caloriques de quelques tablettes (100 g)

	Protéines (g)	Lipides (g)	Glucides (g)	Calories (Kcal)
Lait noisettes entières	8,5	48,7	39,1	581
Blanc noisettes	11,8	42,2	40,3	579
Noir amandes croquantes	8,3	52,1	63,3	568
Au lait avec des fruits secs	9,3	52,1	35,3	563,3
Lait amandes	9,2	52,2	35,2	562
Noir avec fruits secs	6,2	56,6	34,4	560,8
Au lait	7,5	56,5	32	544
Blanc	8,1	58,3	30,9	543,7
Lait au riz soufflé	5,9	64,1	27,6	528
Noir au riz soufflé	7,1	64	26,3	521
Noir	4,5	57,8	30	519,2
Au lait fourré	4,7	73,3	18,8	481,2
Noir fourré	4,7	73,3	18,8	481,2
Allégé	6,5	40,7	20,3	371,5

LE *LIGHT*, ÇA VAUT LE COUP ?

Sans doute pas, car s'il contient moins de sucre, il est plus riche en graisses. Méfiez-vous aussi du chocolat blanc, plus riche en beurre de cacao, donc plus gras, et des ingrédients ajoutés et très caloriques comme les noisettes, les amandes ou la nougatine.

Fondre de plaisir

Les quelques « trucs » à savoir pour que le plaisir soit encore plus intense :

1. Plus le taux de cacao est élevé, plus le goût du chocolat est prononcé. La subtilité des différents chocolats tient au choix des fèves : goût puissant des fèves de Côte d'Ivoire, goût fruité des fèves du Venezuela, goût fumé et épicé des fèves d'Indonésie. Quant aux chocolats basiques, l'utilisation de fèves de différentes origines ne leur confère pas un goût particulièrement subtil.

2. Comme pour un grand vin, il va falloir vous livrer à la dégustation (ce n'est pas la partie la plus désagréable, vous en conviendrez). Car la dégustation d'un chocolat est « multisensorielle » et la combinaison des notes amères et des notes sucrées est plus subtile qu'il n'y paraît. Par exemple, une amertume sans âcreté avec une acidité tout juste perceptible est servie par une saveur sucrée dont le rôle exact est de rendre l'amertume plus fine et plus nuancée.

3. Sachez que, pour découvrir les finesses de chaque chocolat, il faut de préférence le déguster du plus doux au plus amer et que la qualité dépend principalement des matières premières employées. En effet, l'origine des fèves de cacao a une très grande importance ; quant aux autres ingrédients, comme les amandes et les noisettes, leur provenance joue un rôle essentiel. Pour devenir une pro, aiguisez donc un peu vos sens.

L'art et la manière de déguster le chocolat

- **Ouvrez l'œil.** Distinguez le banal de l'exceptionnel ! Sa couleur ne trompe pas. Parfaitement uni, brillant, dense et lisse… un grand chocolat doit être acajou foncé mais jamais noir. Un chocolat au lait est ocre-blond, avec une touche plus brune s'il est très riche en cacao.
- **Humez-le.** Son parfum chatouille délicieusement le nez et excite les papilles.
- **Cassez-le.** Sa brisure est toute nette, son parfum s'intensifie.
- **Croquez-le.** D'un bruit sec, il craque et se brise.
- **Croquez encore.** Voyez comme sa texture est fine, moelleuse sans être grasse, légère… et comme il fond doucement sans empâter la bouche.
- **Appréciez son bouquet et sa longueur en bouche.** Percevez-vous les notes subtiles et riches des fèves Criollos d'Amérique du Sud, celles plus corsées des fèves Trinitarios des Caraïbes qui persistent délicieusement sous le palais ?
- **Chouchoutez-le.** Comme le vin, le chocolat doit être conservé correctement. Il craint l'humidité et la chaleur : il est donc préférable de le garder dans un endroit frais (entre 15 et 18 °C) et sec. Un chocolat exposé à l'humidité se détériore et des traces blanches (de sucre) apparaissent : c'est le signe que la cristallisation des matières grasses n'est plus homogène. Ce blanchiment peut entraîner une perte de goût. La lumière aussi oxyde et rancit le chocolat ; mieux vaut donc le mettre dans une boîte. Le chocolat est un aliment qui a du caractère et il exige à ce titre un traitement hautement privilégié !

Un bon chocolat noir peut se conserver pendant 1 an. Quant aux chocolats au lait ou fourrés, ils se conservent de 6 à 8 mois. Les confiseries comme les rochers ou les truffes ne se conservent théoriquement pas plus de 48 heures.

- **Choisissez-le.** Venezuela, Brésil, Équateur… l'origine du chocolat figure sur la tablette. Mais que faire avec quoi ?

  — Pour un gâteau : Grenade, un bon cru fin et délicat, ou Côte d'Ivoire, basique et assez doux, ou encore Équateur, à la jolie note de fleur d'oranger.

  — Pour une mousse : Sao Tomé, très fort et très noir comme la majorité des chocolats africains, ou Venezuela, chaud et fleuri.

  — Pour une boisson chaude : Brésil, éclatant et fougueux, ou Jamaïque, fruité, ou encore Madagascar, un peu acidulé.

  — Pour une crème glacée : Équateur, assez âpre pour contrebalancer le côté gras et sucré, ou le rare Saint-Domingue, à la remarquable longueur en bouche.

UN PEU DE CONSIDÉRATION !

Le chocolat doit être conservé entre 16 et 18 °C, à l'abri de la lumière, de l'humidité et d'autres aliments odorants. L'idéal est de le placer dans une boîte hermétique, hors du réfrigérateur. Attention aux variations de température qui favorisent son blanchiment !

Petit lexique à l'usage des « choco-paresseuses »

Juste pour avoir le vocabulaire approprié et croquer en toute connaissance de cause.

La texture du chocolat

Cassante. La force nécessaire pour qu'un produit se casse avec une fracture nette. Un chocolat noir est plus cassant qu'un chocolat au lait.

Fondante. La rapidité avec laquelle le chocolat passe de l'état solide à l'état liquide.

Grasse. Sensation de gras dans la bouche, proche d'un goût de beurre.

Sèche. La quantité de salive nécessaire pour désagréger ledit carré.

Pâteuse/collante – Force nécessaire pour décoller le chocolat du palais.

Granuleuse/farineuse. La grandeur, la forme et la quantité de particules entre les dents. La texture doit être parfaitement lisse et la granulation ne doit pas être perceptible.

Le goût du chocolat

Agressif. La rapidité avec laquelle le goût se manifeste.

Intense. La quantité totale de goût qui ne dépend pas de la qualité.

Cacaoté. Sa force en cacao. De fait, le terme s'applique à un chocolat noir.

Lacté. La présence d'un goût ou d'une odeur franche de lait, de crème, de beurre. Terme qui concerne évidemment le chocolat au lait.

Amer. Caractéristique d'un chocolat noir dont le taux de cacao est élevé.

DIRECTIVE EUROPÉENNE

Une récente directive européenne autorise l'utilisation de matières grasses végétales (huiles de palme, de karité, de noyau de mangue... moins coûteuses), en remplacement du beurre de cacao dans la limite de 5 % de la composition des chocolats. Leur présence devra être clairement mentionnée afin que les consommateurs puissent faire la différence entre les chocolats traditionnels et les autres.

1. Ne culpabilisez jamais !

Ce doit être votre credo, sauf quand vous dépassez vraiment les bornes (1/2 tablette est déjà une bonne dose). Sinon, dégustez votre chocolat sans le moindre remords.

2. Ne consommez que du chocolat de qualité

Quitte à manger du chocolat, autant qu'il soit bon. Une marque connue propose du 85 et 99 % de teneur en cacao – ce qui promet un goût des plus subtils.

3. Ne consommez que quelques carrés à la fois

Au-delà, c'est de la gloutonnerie. Et puis vous verrez que 2 ou 3 carrés agissent comme un vrai coupe-faim.

4. Ne craquez pas sur le chocolat blanc

Il flatte les papilles, car il contient du beurre de cacao en abondance. Bonjour les calories !

5. Inscrivez-vous…

… à un club de croqueurs de chocolat : un bon moyen d'assouvir sa passion en apprenant plus de trucs sur l'objet de tous ses désirs.

6. Répétez-vous comme un mantra…

… que le chocolat ne fait pas grossir ! La preuve, ce ne sont pas les minces qui diraient le contraire !

7. Faites honneur…

… aux traditions. Noël, Pâques, etc., toutes les occasions sont bonnes pour les paresseuses. Au moins vous aurez une bonne excuse. En revanche, il faudrait peut-être songer à lever le pied dans les jours qui suivent une orgie ponctuelle.

8. Affinez votre tournemain

Mettez au point une recette inoubliable : gâteau, truffes ou crottes en tous genres, c'est un moyen infaillible de passer à la postérité !

9. Fondez de plaisir

Si vous êtes franchement mordue, réunissez quelques accros et faites-leur déguster une fondue au chocolat, avec des fruits de toutes sortes (les fraises se marient bien) trempés dans le précieux breuvage un peu épais.

10. Misez sur l'exotisme

Une sauce au chocolat dans vos plats de viande, ça vous tente ? Non, on ne parle pas de chocolat belge mais de recette mexicaine : le Tamolé. Un peu de courage, vous trouverez sans doute la recette sur Internet ou dans un livre de cuisine spécialisé.

11. Substituez

En cas de chagrin d'amour, ne vous dopez pas au chocolat – à réserver uniquement au pur plaisir –, mais jetez-vous plutôt sur les concombres. Infaisable ? Pas forcément, mais au cas où ce serait au-dessus de vos forces, enfilez vos baskets et allez vous défouler.

12. Trouvez une excuse

Si l'on vous surprend « encore » en train de manger du chocolat, dites sans vergogne que vous manquez de magnésium !

13. Soyez « chauvine »

Les chocolats français, surtout ceux provenant de vrais artisans chocolatiers, sont de vraies merveilles. Ne craquez donc pas « bêtement » sur du belge (pas mal, mais trop crémeux), de l'anglais ou de l'italien, ou pire encore.

14. Lisez...

... systématiquement les informations nutritionnelles sur l'emballage des tablettes pour apprendre à être plus rusée que le plus qualifié des directeurs « marketing ».

15. Collectionnez...

... les livres de recettes sur le chocolat, même si vous n'avez pas l'intention de vous transformer en cordon bleu. Il en existe aux photos sublimes qui en feraient saliver plus d'une et qui, par leur simple contemplation, pourraient bien satisfaire une petite envie passagère.

16. Offrez-vous...

... une belle boîte rien qu'à vous, pour y conserver vos précieuses tablettes hors de portée des enfants ou du mari, qui, de toutes les façons, n'ont pas le bon goût d'apprécier le vrai chocolat noir.

17. Prenez le temps...

... de vous concentrer sur les saveurs, sur la texture et sur le fondant. Un bon chocolat, ça ne s'engloutit pas !

18. Fuyez...

... les barres chocolatées du distributeur, vous méritez mieux que ça !

19. Offrez-leur...

... une bonne boîte de chocolats. Les amis ou la belle-mère vous en seront éternellement reconnaissants. Le chocolat, ça adoucit les mœurs !

20. Vantez-vous...

... sans vergogne et haut et fort, à qui veut bien l'entendre, que vous mangez ce que vous voulez sans prendre un gramme !

chapitre 5

Comment vous remuer sans trop vous fatiguer

« Et vous faites quoi si je dis non ? »

Toutes les études le prouvent, une paresseuse digne de ce nom a les poils qui se hérissent lorsque l'on prononce le mot « SPORT » en sa présence. Il faut donc ruser si l'on ne veut braquer personne, car il y a des moyens d'être en forme et de brûler des calories sans en avoir l'air. La paresseuse type pourrait bien y prendre goût sans même s'en apercevoir !

Tout en *fitness* !

Pour gagner le pari de la ligne, il faut manger un peu moins, mais aussi se bouger un peu plus ! Ou du moins, un peu mieux. Vous êtes prête à vous affamer pour perdre 2 ou 3 kg, mais vous êtes prise de « flémingite aiguë » quand il s'agit d'amortir votre abonnement au club de gym ?

Certes, nous sommes faites de contradictions et pourtant… le sport, ou disons « l'exercice physique », est le seul moyen connu et prouvé de faire d'une paresseuse enrobée et molle une paresseuse mince et musclée ! Car si vous croyez toujours qu'une silhouette de rêve n'est qu'une question de kilos, vous vous méprenez. Pour maigrir vraiment ou conserver un poids idéal, le régime ne suffit pas. Il serait même plutôt contre-indiqué ! Il faut se rendre à l'évidence, la plus assidue des régimes dernier cri vit sous la menace bien réelle de perdre ses muscles. Et qui dit « perdre ses muscles » dit non seulement « s'avachir » mais aussi « voir son métabolisme ralentir », donc « voir son poids regrimper comme par enchantement ». En effet, qui consomme de la graisse et des sucres pour fonctionner ? Qui permet d'optimiser ses efforts sur le plan nutritionnel et de tenir ses bonnes résolutions ? La masse maigre, les muscles, les biscoteaux, bien sûr !

Une stratégie à long terme est à la portée de la plus paresseuse des paresseuses.

UN PEU MOINS PARESSEUSES !

48 %, c'est aujourd'hui le pourcentage des femmes qui pratiquent des activités physiques ou sportives. Elles n'étaient que 9 % en 1968 !

Plan d'attaque pratique

Faites-vous plaisir

Tant que l'activité physique reste une obligation, vous y allez en traînant les pieds. Et si vous n'y allez pas, vous culpabilisez ! Soyez tout d'abord réaliste, ne vous fixez pas des objectifs impossibles : cela vous donnerait une trop bonne excuse pour ne pas les tenir. Choisissez plutôt un sport qui vous corresponde ou découvrez-en de nouveaux, comme la danse du ventre ou la pelote basque – peu importe lequel au final, du moment que vous prenez plaisir à bouger !

Rentabilisez le quotidien

Peu importe votre condition physique et votre emploi du temps, une chose est sûre : vous pouvez sans aucun doute augmenter votre activité physique quotidienne. Ce n'est pas compliqué, il suffit de préférer l'escalier à l'ascenseur, de marcher davantage en sautant une station de métro ou de bus et d'aller chercher votre pain à pied. Et – bonne nouvelle – pas la peine de presser le pas : vous brûlerez autant de graisse en marchant 2 km, que la balade dure 45 minutes ou une 1 heure 15.

PRENEZ L'ESCALIER !

Monter une dizaine d'étages sans s'arrêter équivaut à 3 000 pas (soit près d'un tiers de la ration journalière de 10 000 pas). Vous n'avez pas tant de marches à votre disposition ? Partez à l'assaut d'un même étage 10 fois de suite !

Choisissez un sport en fonction de votre silhouette

Pour les plus ambitieuses, celles qui désirent vraiment remodeler leur silhouette (qui n'en rêve pas ?), il existe des sports plus adaptés que d'autres. La musculation est parfaite, dans la mesure où elle permet de redessiner rapidement la silhouette et de tonifier une partie spécifique du corps (fesses molles ou petit ventre rondelet, par exemple).

Les sports d'endurance, quant à eux, remodèlent plus harmonieusement et plus durablement. Le résultat obtenu, acquis lentement, n'en sera que plus assuré. Enfin, les sports facilitant le retour veineux (marche, vélo, roller, natation) sont particulièrement recommandés à celles qui veulent perdre de la cellulite, c'est-à-dire 99,9 % d'entre vous !

Persévérez !

Vous pouvez être certaine que le résultat final dépendra de votre régularité. Car, quand vous pratiquez un sport, le corps puise son énergie dans ses réserves de sucre et ce n'est seulement qu'après 45 minutes qu'il puise dans ses réserves de graisse. Conclusion : pour perdre de la graisse il faut persévérer au-delà du seuil fatidique. Quoique, si vous faites un jogging d'une demi-heure tous les matins, vous en récolterez évidemment les fruits. Vous verrez votre silhouette s'amincir, votre peau se retendre et vos cuisses se galber, même si la balance reste stable, puisque le muscle pèse plus lourd que la graisse.

Mais attention, cela n'a rien d'éternel ! Arrêtez tout exercice physique et vous verrez vos rondeurs d'antan revenir au galop. Et puisque, contrairement au régime, le sport peut être un plaisir, profitez-en, persévérez !

Soyez positive

Rappelez-vous qu'après le sport, il est normal que vous dormiez comme un bébé. Vos courbatures sont la preuve que vos muscles travaillent ! Et puis, comparez votre bien-être actuel avec votre état de paresseuse d'antan !

ÇA FAIT MAL ?

Vous avez enchaîné les cours d'abdos-fessiers et de *body-sculpting* et vous n'arrivez même plus à vous lever, ni à monter les escaliers sans une grimace de douleur ? Une bonne excuse pour ne pas y retourner ? Erreur fatale ! La meilleure façon de vous débarrasser des courbatures est de refaire travailler vos muscles au plus vite. Retournez vous entraîner dès le lendemain, mais cette fois privilégiez les activités d'endurance (tapis de course, rameur, vélo…) permettant d'éliminer l'acide lactique à l'origine des courbatures. Ensuite, un petit tour au sauna achèvera de vous mettre en jambes !

Plan d'attaque émotionnel

La précontemplation (vous ne vous bougez pas et ne pensez même pas à le faire)

- Fixez-vous un tout petit but raisonnable qui n'implique pas de suer sang et eau : rester debout, par exemple, au lieu de vous asseoir pour vous sécher les cheveux ou vous brosser les dents.

La contemplation (vous ne vous bougez pas encore, mais vous y pensez)

- Rappelez-vous ce que vous aimiez faire autrefois. Trouvez des gens qui partagent le même intérêt que vous pour telle ou telle activité.
- Demandez-vous ce qui vous retient, ce que vous craignez. Écrivez trois activités que vous pourriez faire si vous vous leviez une demi-heure plus tôt ou si vous preniez un quart d'heure sur votre pause-déjeuner.
- Déterminez le type d'activités que vous pourriez vraiment caser dans votre emploi du temps.

La préparation (vous vous bougez, mais pas encore au niveau souhaitable)

- Identifiez les obstacles qui vous limitent, examinez les problèmes et trouvez-leur des solutions. La piscine près de chez vous est fermée pour rénovation ? Trouvez-en une autre.
- Fixez-vous des buts spécifiques quotidiens et hebdomadaires. Augmentez vos activités quotidiennes de 10 à 15 minutes, par exemple, et démarrez une nouvelle activité hebdomadaire, si possible.
- Enregistrez vos progrès par écrit sur un calendrier, notez la durée de vos activités, l'intensité, le type d'exercice…

L'action (vous vous bougez au niveau souhaitable pendant plus de 6 mois)

- Vous êtes devenue une sportive accomplie, certes, mais évitez l'ennui et la monotonie : pensez à varier les activités pour fuir la routine, adoptez de nouveaux itinéraires pour votre jogging ou vos marches, invitez différents amis à vous joindre. À la gym, alternez les différentes machines et les cours.
- Essayez de nouveaux sports sans en attendre des résultats immédiats. Acquérir de nouvelles compétences dans n'importe quelle activité demande de 4 à 6 semaines.
- Ne vous endormez pas sur vos lauriers, intensifiez vos efforts !

AUX GRANDS MAUX, LES GRANDS REMÈDES !

Personne n'est parfait, mais ce n'est peut-être pas la peine de ressasser vos petits problèmes langoureusement allongée sur votre canapé. Bougez-vous : le sport, c'est la panacée à bien des maux.

- Vous avez du mal à vous concentrer ?

Inscrivez-vous à un cours de danse classique ou de jazz moderne ; et si vous êtes raide comme la justice, c'est encore mieux : il vous faudra doublement vous concentrer sur votre corps et vos pas de danse.

- Vous êtes de mauvaise humeur ?

Précipitez-vous à la salle de gym et choisissez les machines et les cours les plus exigeants (comme un bon aérobic endiablé) ; l'humeur la plus massacrante n'y résiste pas.

- Vous êtes timide ?

Sortez de votre coquille, un cours de danse ethnique fera l'affaire : danse du ventre ou africaine pour vous bouger, salsa ou hip-hop pour vous lâcher.

- Vous manquez de confiance en vous ?

Soulevez des poids pour acquérir des biscoteaux ou, si vous ne voulez pas finir comme un déménageur, rabattez-vous sur le yoga pour acquérir la béatitude nécessaire.

Tout ça pour ça !

C'est classique, la graisse fait souvent de la résistance, mais bougez-vous et vous en viendrez à bout !

Voici ce que vous consommez en 1 heure de sport :

○ Marche à pied (à un rythme normal)	120 Kcal
○ Tennis (en simple)	400 Kcal
○ Vélo (selon l'effort)	200 à 700 Kcal
○ Natation	400 à 500 Kcal
○ Ski alpin	300 à 700 Kcal
○ Ski de fond	900 Kcal
○ Aérobic	300 à 500 Kcal
○ Gymnastique douce	200 Kcal
○ Gymnastique avec haltères	350 Kcal
○ Jogging	500 Kcal
○ Planche à voile	500 Kcal
○ Squash	600 Kcal
○ Sports d'équipe (basket, volley, foot...)	500 Kcal

N.B. : il s'agit d'indications moyennes pouvant varier selon l'intensité de l'effort.

VIVE L'ENDURANCE !

Sachez que, durant 20 minutes d'exercice, vous brûlez les glucides du sang, puis les muscles, avant d'attaquer les graisses. Vous avez donc intérêt à choisir un sport d'endurance tel que la marche, la course à pied, le vélo, la natation, et à le pratiquer idéalement 3 heures par semaine. Les muscles brûlent en proportion de leur poids, soit 30 Kcal par kilo de muscle pour seulement 5 Kcal par kilo pour le gras !

Qui ne bouge pas fait du gras !

Il faut vous faire une raison, 30 minutes d'activité physique par jour, c'est le minimum requis pour ne pas devenir une baleine ! Mais quelle activité choisir ? Le sport en chambre, le repassage, la marche à pied ou encore le boulot ? Vous n'êtes pas une grande sportive ? Les salles de gym ne sont pas votre tasse de thé ? Eh bien, marchez ! Car marcher, c'est du sport ! Un pied après l'autre, ce geste naturel transforme peu à peu les kilos superflus en muscles et aide à retrouver ou à garder la ligne.

La dépense énergétique se divise en trois catégories : 1) le métabolisme de base (l'énergie utilisée par le corps au repos pour son fonctionnement) représente une part de 60 à 70 %, 2) la thermogenèse alimentaire (énergie nécessaire à la digestion) est d'environ 10 %, et enfin 3) l'activité physique oscille entre 20 à 30 % de vos dépenses énergétiques totales. Or, si les deux premières données sont inchangeables, c'est sur la troisième qu'il faut agir. Concrètement, une paresseuse qui absorbe 2 000 calories par jour en utilise « naturellement » 1 400 ; il lui reste donc 600 calories à dépenser, sous peine de grossir !

QUAND LA GRAISSE FAIT DE LA RÉSISTANCE

Si vos artères parviennent sans problème à envoyer du sang jusqu'à vos pieds pour nourrir vos tissus, vos veines, elles, ont plus de mal à faire circuler un sang chargé de toxines. Résultat : le sang a tendance à stagner au niveau des jambes – ce qui entraîne un mauvais drainage des déchets, un engorgement des muscles, d'où un malheureux aspect gonflé des tissus (traduisez « des cuisses et des fesses »). Bref, la graisse du bas du corps devient compacte. Pour remédier à ce scénario catastrophe, chaussez derechef vos baskets !

Il était temps !

30 minutes de marche rapide par jour est donc le minimum syndical pour ne pas sombrer du côté obscur de la graisse. Ce qui revient, selon les modes de calcul et le métabolisme (rapport taille /poids /âge... qui détermine comment sont recyclées les calories), à brûler de 90 à 150 Kcal en plus par jour en fonction de l'ardeur que vous y mettez. Et de l'ardeur il faut en mettre, car – c'est un fait – à partir de 25-30 ans, le métabolisme a tendance à ralentir – ce qui sous-entend qu'à activité égale, on brûle moins de calories.

Pourquoi ?

Parce qu'avec l'âge, la masse musculaire a une fâcheuse tendance à diminuer. Or, ce sont vos muscles qui consomment le plus d'énergie et donc vous aident à garder la ligne. Vous avez ainsi tout intérêt à les entretenir et à les développer.

BON À SAVOIR

Statistiquement, la différence de poids est de 3 ou 4 kg entre celles qui ont une activité physique et les autres !

Comment ?

En pratiquant une activité physique régulière bien sûr. Vous pensez « footing, musculation, salle de sport et autres efforts rebutants », n'est-ce pas ? Mais pourquoi ne pas vous mettre tout simplement à marcher ? Tout d'abord, c'est un bon moyen pour dépenser environ 250 calories par heure. En plus, sachez qu'au-delà de 45 minutes d'efforts, votre corps puisera dans vos réserves graisseuses. Et plus vous pesez lourd, plus vous dépenserez d'énergie en marchant. Voilà enfin une bonne nouvelle !

Mais ce n'est pas fini, car la marche développe harmonieusement tous les muscles des jambes et raffermit aussi les fesses. Ce n'est pas pour autant qu'il faut en déduire trop vite que seul le bas du corps travaille. Grâce aux mouvements des bras, effectués d'avant en arrière, les pectoraux et les épaules ne seront jamais en reste. Ces quelques exercices contribueront donc à vous modeler une silhouette fine et tonique, le tout sans aucune souffrance. Ou presque. Qui dit mieux ?

NO COMMENT

Une femme perd en moyenne 50 % de sa masse musculaire entre 20 et 80 ans et prend en moyenne 7,5 kg entre 20 et 50 ans. Vous ne croyez pas qu'il serait temps de vous bouger ?

La marche à suivre

Dernier conseil en date pour tenter d'enrayer l'inactivité chronique : marcher tous les jours, par tous les temps, en une ou plusieurs fois. L'objectif idéal ? Les 10 000 pas, à savoir que 1 heure de marche, c'est environ 7 000 à 8 000 pas à 4 ou 5 km/h, auxquels s'ajoutent les 2 000 à 3 000 pas que l'on fait généralement. Le meilleur moyen de compter vos pas est d'acheter un podomètre et de l'utiliser plusieurs jours de suite pour repérer les

« petites journées » et trouver les stratégies pour les faire grandir. Les chiffres sont surtout un baromètre qui vous permettra d'évaluer votre niveau d'activité. Entendons-nous bien, vous ne perdez pas de poids en marchant 1/2 heure ou 1 heure par jour. Sauf si vous faites de l'endurance, c'est-à-dire à un rythme cardiaque qui oblige votre organisme à brûler du gras.(zone de lipolyse) et donc avec le concours d'un petit appareil à porter sur soi, le cardiofréquencemètre. Mais dans ce cas, la marche devient une activité physique à part entière qui demande à être planifiée et qui nécessite une motivation et des efforts.

Une paresseuse-née doit raisonner autrement ! Pensez « marche spontanée », ajoutez quelques pas aux différents trajets qui mènent de la maison à l'école, au bureau... et vous pourriez bien atteindre les 10 000 pas, peut-être pas tous les jours, mais deux ou trois fois par semaine : ce serait déjà ça de gagner !

VARIEZ LES PLAISIRS

Pour éviter la lassitude, prenez le chemin des écoliers. Que ce soit à Paris ou dans n'importe quelle ville, vous pouvez changer votre itinéraire quotidien ou programmer des balades à thème le week-end.

Sur le chemin de la santé

À condition d'avancer d'un bon pas et de respecter quelques règles, la marche offre tous les bénéfices d'une activité physique d'endurance et tonifie le cœur. C'est tellement vrai que les cardiologues l'utilisent pour rééduquer leurs patients.

- Elle protège les artères car elle fait baisser le taux de « mauvais » cholestérol et augmente le « bon ».

- Elle permet de diminuer ou de stabiliser le diabète en régulant l'activité de l'insuline et la mobilisation des sucres dans le corps.
- Elle facilite le retour veineux dans les jambes grâce aux impulsions données par les pieds sur le sol.
- Elle augmente sensiblement la capacité aérobie ; on consomme mieux l'oxygène que l'on respire.
- Elle est un formidable antistress qui permet de libérer les tensions nerveuses tout en douceur.
- Elle augmente considérablement notre adaptation à l'effort.

Sur le chemin de la silhouette

Des envies d'air pur, des fourmis dans les jambes ? C'est la randonnée qu'il vous faut. Facile à pratiquer, elle sollicite tout le corps. Excellente pour le cœur, elle dynamise également la circulation sanguine, facilite la digestion, assouplit les articulations et renforce les muscles. Véritable antistress, elle permet de décompresser et favorise le sommeil.

La veille au dîner, privilégiez les pâtes ou le riz pour avoir des réserves d'énergie. Avant de partir, prenez un copieux petit-déjeuner : pain complet, œufs, jambon, fromage blanc. Mais si vous partez en début d'après-midi, mangez léger. En haute montagne préférez les protéines animales riches en fer et hydratez-vous pendant la marche, car la respiration dans un air sec et froid augmente les pertes en eau.

La meilleure façon de marcher

- Tenez-vous bien droite. Quelle que soit votre allure, lente ou rapide, ventre rentré, balancez les bras et allongez le pas le plus possible. Vous tirerez ainsi un maximum de profit de votre marche. Vous ferez travailler vos mollets, vos cuisses, vos fesses et vos abdos.

- Marchez régulièrement. Commencez par des séances de 10 minutes tous les jours pendant 1 semaine. Puis la semaine suivante, augmentez la cadence et passez à 20 minutes. Allez-y progressivement, à votre rythme.
- Adoptez une bonne posture. Pas question de traîner les pieds et de vous tenir le dos voûté ! La tête haute, le dos droit, les bras se balancent. Les genoux ne doivent jamais être en complète extension. Le pied doit toucher le sol d'abord par le talon, puis par la voûte plantaire et enfin les orteils. Mieux vaut allonger le pas que de faire plusieurs petites foulées.
- Trouver votre rythme de croisière, choisissez une longueur de foulée et une vitesse adaptée à votre morphologie et à vos capacités. Vous ne devez pas être essoufflée. Au contraire, vous devez être capable de discuter avec une tierce personne. Le but du jeu n'est pas de transpirer mais de tenir une cadence tranquille sur une certaine durée.
- Emportez toujours une petite bouteille d'eau, pour vous réhydrater si besoin est. La marche est un effort musculaire qui entraîne une élévation de la température.
- Chaussez-vous en conséquence : grosses chaussures à crampons quand vous partez en balade ; et, si vous allez dans les bois ou sur des terrains boueux, baskets de marche dans les autres cas. Prenez soin de vos pieds car ils sont fragiles au niveau des articulations.
- Ayez le bon réflexe d'effectuer quelques exercices d'étirements musculaires à la fin de votre séance pour éviter les courbatures du lendemain.
- Mettez le turbo. Brûler 3 000 calories par semaine, ça vous tente ? Ça devrait, car cette somme rondelette représente, bon gré mal gré, 500 g de graisse en moins sur vos hanches !

Programme hebdomadaire

Lundi	1 heure et 1/2 à un bon rythme régulier	– 470 Kcal
Mardi	1 heure de course/marche alternées toutes les 5 mn	– 480 Kcal
Mercredi	1 heure de jogging/marche alternés toutes les 10 mn	– 420 Kcal
Jeudi	1 heure de randonnée sur un terrain accidenté	– 450 Kcal
Vendredi	1 heure de marche rapide	– 360 Kcal
Samedi	80 minutes de jogging/marche alternés toutes les 20 mn	– 440 Kcal
Dimanche	1 heure de marche à un rythme constant	– 300 Kcal

- Plus votre vitesse est élevée, plus vous éliminez. La dépense devient importante à partir de 5 km/h ; vous éliminerez 250 calories en 30 minutes.
- Plus le terrain est pentu, que vous le descendiez (ne croyez pas que ce soit plus facile) ou que vous le montiez, et plus vos chaussures sont lourdes, plus votre consommation calorique augmente. Vous pouvez également perdre du poids grâce à une marche à petite allure, mais plusieurs heures vous seront alors nécessaires pour obtenir les mêmes résultats.

BON À SAVOIR

Contrairement au tissu adipeux, les fibres musculaires consomment de l'énergie, même au repos. Ainsi, 1 kg de muscle supplémentaire entraîne une dépense de 30 à 40 Kcal par jour. Pas grand-chose, mais c'est surtout lorsqu'on s'active que le muscle rapporte : durant l'effort, sa dépense est multipliée par 10 !

Courir, ça booste !

Après 1 minute… L'adrénaline commence à se libérer et le métabolisme se met en action pour brûler les sucres. Le cœur pompe 10 à 15 litres de sang par minute et la température du corps s'élève de 2 °C.

Après 10 minutes... Les battements du cœur se situent entre 70 et 85 % de leur puissance maximale. Le sang fouette le visage qui rougit.

Après 30 minutes... Le corps élimine les toxines par la transpiration. Les fibres musculaires se contractent. Le sang irrigue davantage le cerveau qui libère des endorphines, hormones du bien-être qui permettent de résister à l'effort.

Après 45 minutes... Vous consommez (en admettant que vous ayez tenu le coup jusque-là) 70 litres d'oxygène et brûlez de 270 à 360 Kcal !

Après coup... Prenez une douche 10 minutes après, et surtout résistez à la tentation d'un en-cas sucré !

(Étude réalisée sur une sportive de 65 kg au centre médico-sportif de l'université du Texas, USA)

10 TRUCS POUR AVOIR UN VENTRE EXTRAPLAT

Le manque d'activité physique ne joue pas en faveur d'un ventre plat ; donc pour lutter contre le relâchement général :

1. Tenez-vous bien droite et rentrez le ventre aussi souvent que possible.
2. Prenez vos repas dans un endroit calme, vous gonflerez moins.
3. Mastiquez lentement vos aliments pour favoriser leur assimilation.
4. Marchez régulièrement chaque jour.
5. Évitez certains aliments qui favorisent les ballonnements, comme le chou, les oignons, les haricots.
6. Ne parlez pas la bouche pleine : c'est impoli et en plus vous avaleriez de l'air (aérophagie).
7. Privilégiez les fibres pour faciliter le transit, les céréales complètes, les légumes et les fruits frais.
8. Ne grignotez pas pendant la journée pour laisser votre système digestif au repos.
9. Relaxez-vous : le stress peut provoquer des douleurs abdominales.
10. Faites chaque jour une série d'abdos.

Bougez, tout en vous amusant !

Non, le mot *sport* n'est pas forcément synonyme de « calvaire » ! Vous pouvez parfaitement afficher un sourire et vous amuser ou simplement vous sentir bien en pratiquant une activité sportive. Peu importe laquelle – aquagym, promenade avec les enfants, tennis avec des amis, etc. – du moment que vous passez un bon moment.

Vous n'avez pas besoin non plus de pratiquer la même activité pendant des lustres : alternez yoga et tai-chi, méditation et sports d'hiver, roller et planche à voile. Et puis, posez-vous aussi certaines questions :

- **« Qu'est-ce que j'aime faire ? »** Au bon vieux temps, avant de devenir la paresseuse que vous êtes aujourd'hui, quel genre de sport pratiquiez-vous ? Avez-vous déjà pratiquer un sport d'équipe ? Vous êtes-vous déjà inscrite à un cours de danse moderne ?
- **« Est-ce que je suis assez persévérante ? »** Au début, choisissez une seule activité physique, mais pratiquez-la régulièrement et assidûment pendant un ou deux mois. N'attendez pas de résultats foudroyants, donnez-vous quelques semaines.
- **« Comment trouver mon équilibre ? »** Quelles catégories d'exercices avez-vous choisies ? Uniquement des exercices cardiovasculaires, du type vélo ou poids ? Dans ce cas, équilibrez en casant dans votre emploi du temps des exercices complémentaires, qui mettent l'accent sur l'harmonie entre le corps et l'esprit, comme le yoga.
- **« Est-ce que je peux en faire plus ? »** Et pourquoi ne pas essayer d'ajouter une autre activité à votre train-train, même si ce n'est qu'une fois par semaine ou une fois par mois ?

À LA BONNE HEURE !

Il y a un temps pour tout, mais une chose est sûre : après les excès alimentaires, il faut éliminer ! Mais pas n'importe quand. Les effets du sport varient selon le moment où on le pratique. Vous pouvez donc rentabiliser vos efforts en choisissant le moment opportun pour déstocker. Il faut plutôt bouger aux heures où les substances qui favorisent l'élimination sont au top : soit entre 7 et 8 h du matin ! Si vous ne pouvez pas pratiquer une activité physique avant le petit-déjeuner, programmez-la en fin de matinée ou le soir entre 18 et 19 h avant le dîner.

Entraînez-vous sur la bonne fréquence cardiaque

La fréquence cardiaque est le nombre de pulsations cardiaques par minute. La zone-cible représente la limite maximale et la limite minimale de la zone d'entraînement. Mais, pour déterminer cette zone-cible, il faut connaître sa fréquence cardiaque. Elle se calcule simplement en soustrayant votre âge à la fréquence cardiaque maximale évaluée à 226 pulsations/mn pour les femmes.

Si vous avez 35 ans, votre fréquence maximale = 226 – 35 = 191 pulsations/mn. Vous pouvez alors choisir votre cible :

- **La zone du cœur sain.** C'est la zone d'entraînement la plus importante. Elle augmente force et vitesse, tout en utilisant les graisses pour effectuer l'exercice. La zone idéale pour toutes celles qui débutent un entraînement est de 50 à 60 % de la fréquence maximale. Dans le cas cité, la zone recherchée se situe entre 191 × 0,50 = 95,5 et 191 × 0, 60 = 114,6 pulsations/mn.
- **La zone aérobie.** Elle permet d'augmenter le niveau d'endurance, avec une combustion plus importante de sucres que de graisses. L'exercice doit être effectué entre 70 et 80 % de la fréquence maximale. Le travail sur vélo électronique ou la course à pied sont de parfaits entraînements.

- **La zone anaérobie.** Elle permet de s'entraîner plus intensément. L'exercice doit être réalisé entre 80 et 90 % de la fréquence maximale. C'est une zone utilisée essentiellement par les sportifs de haut niveau. Si vous voulez juste être en forme, inutile d'aller jusque-là !

L'EAU DU SPORTIF

Il est conseillé de boire en quantité raisonnable avant l'effort, car l'organisme ne peut pas faire de réserve d'eau. Bref, boire un grand verre d'eau 15 minutes avant le sport est suffisant. Pendant l'effort aussi il faut réhydrater l'organisme. Mais, là encore, en douceur : pas question de se descendre 1 litre d'un coup... Préférez donc de petites quantités (quelques gorgées) régulières.

Quelques exemples d'activités sympathiques pour brûler encore plus de gras

— 1 heure de câlins assez soutenus et autres activités carrément sexuelles par jour (de 50 Kcal pour les tranquilles à 300 Kcal pour les plus acrobates) !

— 2 heures de pratique d'un instrument de musique (environ 100 Kcal).

— 30 à 45 minutes de natation (entre 200 et 300 Kcal).

— 4 heures de travail intellectuel plus ou moins intense (environ 200 Kcal).

— Moins de 30 minutes de muscu ou de gym (à peine le temps de vous chauffer pour en griller plus de 200 !).

— Le top du top en termes de temps/efficacité : un petit footing de 15 minutes qui vaut environ 250 Kcal.

39 MINUTES DE DOULEUR !

Au bout de 40 minutes d'activité physique, vous commencez à brûler vos graisses de réserve !

Toutes les bonnes raisons de persévérer

Ça y est ! Vos bonnes résolutions ont guidé vos pas vers un club de sport. Mais, une ou deux séances plus tard, les résultats que vous espériez ne sont pas au rendez-vous et votre culotte de cheval ne semble pas vouloir s'enfuir au galop ! Voici 5 raisons de garder courage et de vous accrocher :

1. Pour rester mince

Pourquoi vous priver de manger alors que vos muscles peuvent brûler efficacement vos petits excès ? Les muscles consomment de l'énergie, même la nuit, et garantissent la stabilisation de votre poids. Et pour bien vous muscler, il faut équilibrer l'endurance et la musculation. Explication…

Dans l'endurance (marche rapide, ski de fond, vélo, rameur ou tapis roulant), l'intensité de la contraction musculaire est de l'ordre de 10 % de ce que vous pourriez faire. En musculation (travail en salle, squash, tennis), vous êtes à 70 ou 80 % de votre capacité. Votre corps, qui a à sa disposition deux types de métabolismes, fait un choix. Quand il travaille à 10 %, il va puiser dans ses réserves de graisse pour tenir un long effort. Vous maigrissez ! Quand l'organisme est à 80 %, dans un effort intense, il brûle des sucres qui sont immédiatement disponibles. Vous vous musclez ! Et vous êtes gagnante dans les deux cas ! Et – cerise sur le gâteau – votre production de cortisol, l'hormone du stress, va diminuer. Or, cette hormone est impliquée dans la prise de poids !

2. Pour rester en bonne santé

Ce qu'une activité physique quotidienne vous apporte :

- Vous réduisez le risque de maladies cardiovasculaires.

- Vous réduisez votre tension.
- Vous réduisez le risque de diabète.
- Vous renforcez votre système immunitaire.
- Vous contrôlez votre poids.
- Vous augmentez votre propre estime et vous avez meilleur moral.
- Vous renforcez vos os, vos articulations et vos muscles.
- Vous augmentez votre longévité.

3. Pour avoir un moral d'acier

Avec le sport votre corps va produire encore plus d'endorphines, des hormones antidouleur. Et aussi plus de sérotonine – l'hormone du bonheur – et de gamma-globulines, qui luttent contre les infections (moins de rhumes, moins de blues). Et puis, l'effort c'est aussi du plaisir. Choisissez, selon votre emploi du temps, le moment de la journée où vous êtes le plus disponible en essayant de tenir compte de votre rythme biologique. En forme le matin ? Foncez au club. Besoin de vous débarrasser du stress de la journée ? L'entraînement du soir vous garantira un sommeil des plus profonds.

4. Pour avoir de beaux muscles

Ça fait deux mois que vous suez sang et eau et toujours pas de fesses de marbre, ni d'abdos en béton ? C'est que pour obtenir de beaux muscles il ne suffit pas de passer des heures sur les parquets, il faut avant tout se muscler « intelligemment » ! L'essentiel étant d'abord d'être constante (deux ou trois fois par semaine). À ce rythme vous vous ménagez des plages de récupération entre deux séances tout en habituant votre organisme à un effort régulier.

Vous êtes sérieuse mais les résultats se font attendre ? Pour que vos abdos tout neufs soient visibles, il faut que la couche de graisse qui les recouvre disparaisse ! Aussi vous faut-il surveiller votre alimentation en accordant la préférence aux protéines qui « nourrissent » les muscles et en éliminant les apports en sucre.

5. Pour rencontrer des gens sympas

Les clubs sont des lieux de rencontre privilégiés. La jeune femme souriante sur le vélo d'à côté pourrait bien devenir votre meilleure amie, et ce beau brun en sueur l'homme de votre vie ! Sinon, une ambiance sympathique vous incitera de toutes les façons à vous entraîner plus souvent. Mais n'en profitez pas pour paresser en bavardant !

LE SPORT ANTIDÉPRESSEUR

Une étude effectuée aux USA a identifié la dose d'exercice nécessaire pour obtenir un effet comparable aux antidépresseurs : il suffit d'une demi-heure d'activité physique trois fois par semaine pour une personne pesant 60 kg.

La forme à la paresseuse

L'heure de l'épreuve a sonné, mais les paresseuses sont hédonistes ! Qu'à cela ne tienne, il faut bien que le sport soit compatible avec le plaisir. Faites donc ce qui vous plaît, selon votre personnalité et vos envies, sans douleur et dans le plaisir, car ce n'est que comme cela que vous en tirerez pleinement les bénéfices.

Les trucs de paresseuse pour bouger mine de rien

L'objectif à atteindre : 30 à 60 minutes d'activité soutenue par jour, en une ou plusieurs fois, mine de rien, comme si cela faisait partie de votre mode de vie. Le but : faire du sport sans même que vous vous en aperceviez.

- Oubliez les ascenseurs et les escaliers roulants, prenez les escaliers et montez-les sur la pointe des pieds !
- Descendez une station de métro ou de bus avant votre arrêt habituel.
- Limitez le temps passé devant la télé ou faites du vélo d'appartement en regardant votre émission favorite.
- Abandonnez votre voiture et partez à pied, avec un chariot à roulettes pour le marché (rétro-chic !)
- Donnez-vous le rythme, avec votre baladeur MP3 aux oreilles, quand vous faites le ménage.
- Optimisez vos gestes quotidiens en pensant à rentrer votre ventre quand vous êtes debout et à vous tenir droite lorsque vous êtes assise. Et, bien sûr, à marcher d'un bon pas quand vous le pouvez.
- Investissez dans une cassette de gym et rentabilisez-la en suivant le programme proposé jour après jour.
- Déplacez-vous au bureau pour voir vos collègues, au lieu de téléphoner ou d'envoyer un e-mail.
- Faites une grande balade en forêt pendant le week-end., sympa à toute saison, y compris la cueillette des champignons.
- Ne restez pas assise dans votre fauteuil comme si vous aviez 90 ans. Préférez le jardinage, le bricolage, les jeux avec les enfants.

Les trucs de paresseuse pour brûler des calories sans même y penser

Idéal pour les paresseuses : même les activités les plus banales consomment des calories ! Faites-en un peu plus, saisissez toutes les bonnes occasions et vous tiendrez le bon bout !

Moyenne en Kcal pour 30 minutes :

Faire sa toilette	40 Kcal
Être assise en regardant la télé ou en lisant	10 Kcal
Rester debout	30 Kcal
Conduire sa voiture	30 Kcal
Prendre un repas (dépenses liées à la digestion)	75 Kcal
Préparer le repas, faire la vaisselle	25 Kcal
Faire les courses en poussant un chariot	40 Kcal
Faire les lits, repasser, balayer	40 Kcal
Passer l'aspirateur, faire les vitres, laver le carrelage	50 Kcal
S'occuper de très jeunes enfants	50 Kcal
Écrire, travailler sur ordinateur	28 Kcal

Et pour les très paresseuses :

Sortir le chien (15 minutes 3 fois par jour)	135 Kcal
Faire du shopping avec une copine, avec arrêts « essayage »	360 Kcal
Danser lors d'une soirée (1 heure)	400 Kcal
Aller chercher des DVD à la boutique de location à pied (40 minutes)	120 Kcal
Faire une grosse sieste (1 heure 30)	90 Kcal
Lire dans l'après-midi (3 heures)	50 Kcal

- Jouer du piano ou d'un autre instrument (1 heure) 50 Kcal
- Emmener les enfants à l'école à pied (20 minutes 2 fois par jour) 120 Kcal
- Aller au marché (1 heure de balade) 180 Kcal

SOYEZ UNE PARESSEUSE AIMANTE

Un massage sensuel consomme l'équivalent d'un plateau de fruits de mer ! Et le *french kiss* enflammé met en jeu 29 muscles et brûle en moyenne 12 Kcal contre à peine 3 pour un petit bisou !

Les trucs de paresseuse pour rentabiliser ses efforts

Chaque minute compte ! N'oubliez pas que vous pouvez manger davantage si vous augmentez votre dépense physique ! Ou que vous pouvez maigrir en mangeant comme d'habitude !

Pour brûler 200 calories par jour

Chaque jour

- 20 minutes de marche rapide (laissez la voiture un peu plus loin)
- Une dizaine d'escaliers montés à pied

(dans votre immeuble, au bureau, dans le métro)

- 15 minutes d'activités ménagères

(en remplacement de 30 minutes de télé !)

Et chaque semaine

- 2 heures de promenade à bonne allure ou 1 heure de marche

Pour brûler 300 calories par jour

Chaque jour

- 30 minutes de marche rapide
- Une dizaine d'escaliers montés à pied
- 15 minutes de gym + 15 minutes d'activités ménagères

Et chaque semaine

- 3 heures de promenade à bonne allure
- 1 heure d'aérobic, de natation ou de jogging.
- 2 heures de marche rapide ou de vélo.

Les trucs de paresseuse pour avoir des cuisses de nymphe

Certaines disciplines en font plus pour améliorer votre maintien et votre silhouette. Alors autant rentabiliser vos efforts en en pratiquant une qui vous convienne et qui sorte un peu des sentiers battus.

Le Pilates

La version au sol du Pilates est une gymnastique douce qui a pour but de tonifier les muscles profonds, notamment les abdominaux. Cette gymnastique améliore la posture, affine la taille, délie les articulations (notamment au niveau des zones de tension comme la nuque et les épaules), et prévient le mal de dos. Elle permet d'adopter de bons réflexes au quotidien mais ses bénéfices ne s'arrêtent pas là. Les mouvements Pilates s'accompagnent d'une respiration très profonde, un peu comme le yoga, qui détend et permet de retrouver de l'énergie. De plus, les positions étant très précises, on est obligée de se concentrer sur soi-même et l'on apprend à connaître ses muscles et ainsi, à apprivoiser son corps.

Le Chi-ball

Il améliore le contrôle de soi. Avec des mouvements de bras amples et ronds, on promène un petit ballon d'une main à l'autre en s'efforçant de ne pas le faire tomber. Ces exercices sollicitent les articulations tout en souplesse et nécessitent une grande concentration. Le ballon dégage, selon sa couleur, un parfum d'orange, de citron vert ou de lavande pour procurer encore plus de sensations de bien-être.

L'escrime

Ce sport développe l'agilité et permet de libérer l'agressivité tout en étant proche de la technique élégante de la danse. L'escrime améliore la rapidité de réaction et la souplesse et tonifie en finesse les muscles des jambes, ainsi que les épaules, la poitrine et le haut du dos.

La natation synchronisée

Elle donne une belle allure et ses bienfaits sont les mêmes que ceux de la danse. Elle développe la souplesse, la tonicité, la motricité et la maîtrise de tout le corps. Et il faut en plus évoluer dans un milieu sans oxygène et gérer sa respiration.

Le saut à la corde

Il s'agit d'une pratique qui permet de développer le système cardiovasculaire et le souffle et, côté silhouette, de muscler les mollets et les cuisses, tout en tonifiant les bras et les épaules. Bref, ce n'est pas un simple divertissement de cour d'école mais une activité physique à part entière.

La balade en vélo

C'est facile, pas cher, flexible et ça peut rapporter gros : des jambes fines et musclées, un cœur solide, un moral d'acier et un temps de qualité avec votre famille.

LA FACE CACHÉE DE LA MASSE GRAISSEUSE

Pourquoi la masse graisseuse disparaît-elle plus vite au niveau du ventre qu'au niveau des cuisses ou des fesses ? Tout simplement parce que la cellulite se niche rarement sur le ventre contrairement à la graisse. Mais c'est un mal pour un bien, car la graisse est plus facile à combattre que la cellulite. En pratiquant la natation, par exemple, vous constatez qu'après une bonne heure votre ventre est plus plat. C'est dû à un phénomène physiologique : les cellules graisseuses (les adipocytes) présentes dans le ventre ont une plus grande « disponibilité » que celles des cuisses ou des fesses. Quand votre corps a besoin d'énergie, il puise dans ses réserves disponibles. Or, la graisse stockée dans le ventre est la première absorbée par l'organisme. D'où l'effet « ventre plat » après le sport !

Les trucs de paresseuse pour bien se nourrir pendant le sport

Ce que vous mangez influe directement sur vos performances, d'autant que toute dépense physique crée des déperditions qu'il faut compenser. Alors que manger quand l'heure de l'effort a sonné ?

Un sport d'endurance se pratique à jeun, c'est-à-dire le matin avant le petit-déjeuner. Si vous mangez avant, votre organisme, pour supporter l'effort, va aller puiser dans ses réserves de proximité (muscles, sang, foie) et non dans les graisses. Après l'effort – bonne nouvelle – tout ce que vous mangez ne va pas dans les adipocytes mais dans les recharges musculaires. Dans le quart d'heure qui suit, consommez des sucres rapides, puis, dans l'heure qui suit, des protéines. En effet, les sucres rapides font monter la glycémie qui provoque de l'insuline pour la faire chuter. Et l'insuline a un pouvoir anabolisant, elle va donc se servir des protéines pour aller refaire le stock de muscles perdus – même s'il est infime – et même en gagner un peu !

En règle générale, respectez votre ration quotidienne de protéines. Lorsque vous ingérez 100 calories sous forme de protéines, votre organisme en dépense plus du quart (environ 30 Kcal) pour les fractionner et les assimiler. À côté de ça, la transformation des glucides consomme seulement 5 à 9 % de l'énergie qu'ils apportent et les lipides autour de 3 %. Sans compter que les protéines sont plus rassasiantes que les autres nutriments.

Eh bien, dansez maintenant !

Énergie, équilibre, sensualité, confiance en soi, port de reine, que de bonnes raisons pour entrer dans le rythme ! Vous voulez voir fondre votre petit ventre ? vous débarrasser de quelques centimètres sur les cuisses et sur les hanches ? Danse du ventre, salsa, jazz moderne, rap, tango, danse africaine, vous n'avez que l'embarras du choix ! Sûr, vous y laisserez quelques kilos mais surtout vous acquerrez une silhouette et un maintien de rêve.

La salsa américaine

Langoureuse à souhait, elle fait idéalement travailler les abdos, les fessiers et les cuisses. Plus technique que la salsa cubaine, elle emprunte son allure de reine à la sévillana espagnole, fière et... sensuelle à souhait.

La danse orientale

Ou danse du ventre. Elle brûle pas mal de calories si vous ondulez non-stop et vous connecte avec vos émotions. Elle chasse le stress et la dépression, et redonne confiance en soi. C'est en plus une sorte de méditation en mouvement : quand vous dansez aussi frénétiquement, votre esprit se vide et tout votre corps travaille. Vous aurez ainsi un dos et des abdos en béton, une taille fine et des hanches souples. Et en plus, la danse orientale exalte la sensualité féminine par des rotations du bas du ventre, des mouvements pelviens, des ondulations savantes, elle réconcilie les femmes avec leur corps, lutte contre la timidité et l'inhibition.

La danse africaine

S'il existe une danse qui chasse le stress, c'est bien la danse africaine. Elle donne la pêche et agit comme un vrai euphorisant. C'est une savante alchimie de musiques dépaysantes et de pas variés issus de danses traditionnelles d'Afrique noire. On fait vibrer tout son corps aux rythmes enlevés du soukous et du dombolo ! Tout le corps est mis à contribution sans que l'on s'en rende vraiment compte. Du sport sans en avoir l'air ? Le rêve !

La danse moderne

Dérivée de la comédie musicale, la danse moderne, ou *modern jazz*, repose sur l'apprentissage d'une chorégraphie sur fond de rythme jazzy ou funky. Comme la danse classique, elle sollicite tous les muscles du corps mais avec une disciple moins rigoureuse laissant un champ plus large à l'interprétation personnelle. Comme le théâtre, elle permet aux personnalités renfermées de s'exprimer et de s'affirmer par le biais de leur corps.

La danse classique

École de rigueur par excellence, la danse classique enseigne la maîtrise du corps. On y apprend à redresser son dos, à dégager son cou, et à libérer ses épaules. Après 6 mois, ces placements deviennent naturels dans la vie de tous les jours. Autre avantage : la danse classique allonge et tonifie les muscles et permet de sculpter intégralement son corps. Si vous débutez après 20 ans, ne vous faites cependant pas trop d'illusions, vous ne rattraperez pas le niveau d'un petit rat de l'Opéra !

Les claquettes

Malgré les apparences, elles n'ont rien d'un jeu d'enfant. Dérivées d'une danse populaire irlandaise, la *clogg dance*, elles se pratiquaient à l'origine avec des sabots de bois. Conjuguant sauts, frappes, claquements, les claquettes requièrent à la fois agilité, grâce et précision. Les fers ne sont pas indispensables pour les premiers cours, mais il est conseillé de porter des chaussures à semelles dures, de préférence en cuir avec une bride ou des lacets pour bien tenir le coup de pied.

BRASSEZ DU VENT

Prendre le vent de plein fouet fait brûler des calories, puisque l'on a besoin de mobiliser plus d'énergie pour maintenir la même vitesse (15 % de plus à pied et 30 % de plus à vélo pour un vent de 40 km/h).

Le sexe, c'est le pied pour la forme

Comment être et rester jeune, épanouie, en forme et en bonne santé, tout en vous faisant vraiment plaisir ? Eh bien, en plus des sensations intenses qu'ils procurent, il paraît que les câlins sous la couette seraient bénéfiques pour la santé ! Le top pour n'importe quelle paresseuse...

Les bienfaits de l'amour

Faire l'amour augmenterait l'espérance de vie, préviendrait les coups de blues, l'apparition de problèmes cardiaques et même de certains cancers. Il est déjà prouvé que cela augmente le niveau de testostérone (hormone masculine présente aussi chez la femme), laquelle fortifie les os et les muscles et approvisionne en bon cholestérol. Selon une étude d'un chercheur sur la sexualité, « les endorphines, qui sont des analgésiques naturels du corps, sont libérées pendant l'acte sexuel et sont bonnes pour guérir les maux de tête, les traumatismes et l'arthrite ». L'hormone DHEA est également libérée juste avant l'orgasme. Elle améliore la connaissance, bâtit le système immunitaire, inhibe la croissance des tumeurs et construit les os. Chez une femme, l'ocytocine, l'hormone qui déclenche le désir d'être touchée, est libérée en grandes quantités au cours du rapport sexuel et les niveaux d'œstrogènes augmentent également. Or, cette hormone améliore les os et le système cardiovasculaire.

Les vertus thérapeutiques de l'activité sexuelle concernent principalement le cœur. Une étude britannique souligne une baisse des risques cardiaques liés à la fréquence des relations sexuelles. Ces bienfaits sur le cœur sont également évoqués pour les deux sexes dans des travaux américains publiés en 2003. Faire l'amour n'est, somme toute, qu'un exercice physique ; or, les bienfaits de l'activité physique pour le cœur sont bien connus ! Avouez qu'il y a pire, comme sport !

VIVE LES PRÉLIMINAIRES !

Selon une étude, les préliminaires seraient eux aussi bons pour la santé, car ils favoriseraient la production de l'hormone ocytocine, qui pourrait prévenir l'apparition du cancer du sein. L'étude précise même que l'ocytocine est libérée en grande quantité lors de l'orgasme et que l'activité sexuelle pourrait donc avoir un rôle protecteur contre ce type de cancer.

Amour harmonieux

Faire l'amour au moins trois fois par semaine permettrait de rajeunir de 10 ans (résultat d'une enquête réalisée par un psychologue écossais auprès de 3 500 personnes qui ne faisaient pas leur âge !). Dans son ouvrage, il souligne que, pour paraître plus jeune, nul n'a besoin de vivre comme une nonne. Au contraire, le sexe serait même l'une des composantes essentielles pour paraître environ 10 ans de moins. Les personnes interrogées avaient en effet trois relations sexuelles minimum par semaine. Ces effets bénéfiques ont d'ailleurs été confirmés par de nombreuses études. Bref, il faut croire que faire l'amour est un bon exercice qui permet, entre autres, d'entretenir son corps. Et des relations sexuelles harmonieuses peuvent être le synonyme d'une vie heureuse ; or, les gens heureux ont certainement l'air plus jeunes.

Amour heureux

Faire l'amour a un effet tranquillisant. Dans les bras de son partenaire, l'angoisse ou la peur n'ont plus lieu d'être. Mais autant que le partage avec l'être aimé, l'acte sexuel en lui-même permet de gommer l'anxiété ou l'énervement. Là encore, les hormones sont vraisemblablement derrière cet étrange effet tranquillisant qui ramène au premier plan la bonne humeur et les pensées positives, laissant au placard les soucis quotidiens.

Amour joyeux

Selon un sondage IPSOS réalisé pour le compte du *Figaro Magazine*, l'échantillon représentatif de personnes interrogées semble tirer de l'amour un sentiment de gaieté. Faire l'amour serait un antidépresseur naturel. Forcément, me direz-vous, la peur d'être seule et délaissée, ça déprime.

BON À SAVOIR

Faites l'amour souvent. Cela reviendrait à courir l'équivalent de 130 km en une année !

VINGT FAÇONS DE BOUGER SANS EN AVOIR L'AIR

1. Prenez le temps !

Le manque de temps est l'excuse la plus utilisée par les paresseuses. Et si vous examiniez de près votre emploi du temps ? Vous pourriez bien constater que les 2 heures que vous passez devant la télé pourraient être recyclées en activités physiques. Il suffit souvent d'un peu d'honnêteté et de peu de chose pour faire la différence.

2. Marchez 2 minutes

Là, maintenant, debout ! Allez faire le tour du pâté de maisons ou du salon. Félicitations ! Vous venez juste de commencer votre programme « antiflemme » !

3. Fixez-vous des objectifs

Sauf si vous êtes capable de planifier comme une statisticienne professionnelle, prévoyez au jour le jour le temps que vous allez pouvoir consacrer à vos activités physiques. Peut-être qu'aujourd'hui vous pouvez caler 15 minutes de sport avant le petit-déjeuner ? ou 15 autres pendant la pause-déjeuner ? L'important ce n'est pas quand, l'important c'est de le faire !

4. Coupez la poire en deux !

La poste est trop loin ? O.K., faites la moitié du chemin en voiture et l'autre à pied !

5. Capitalisez !

Pour bouger 30 minutes par jour sans vous prendre la tête, faites juste un peu plus de tout. C'est comme vous brosser les dents ; la routine quoi !

6. Marchez avec une copine

Au moins, vous pourrez raconter vos petites histoires autrement qu'en ayant le portable collé à l'oreille. Si vous avez un chien pour vous accompagner au quotidien, c'est pas mal non plus !

7. Prenez votre pied !

Écoutez votre corps. D'accord, il faut faire un petit effort, mais l'intensité de vos exercices ou activités doit être celle où vous vous sentez bien.

8. Protégez votre peau

Une bouffée d'air frais, c'est peut-être conseillé par le docteur, mais le docteur vous rappelle aussi de faire attention aux dangers du soleil.

9. Enregistrez vos progrès

Vous serez ainsi attentive au changement de mode de vie que vous essayez d'acquérir et noterez vos progrès. Et « plus d'attention » veut dire « plus de changement ».

10. Rêvez en grand

Par exemple, rêvez de faire un marathon, même si, au final, vous n'êtes capable de courir que 1 km !

11. Trouvez la bonne personne

Celle qui sera capable de partager votre passion et de vous pousser dans vos retranchements !

12. Lancez-vous des défis !

N'ayez pas peur d'y aller franco, vous découvrirez vite vos limites.

13. Tenez-vous droite !

Vous respirerez mieux et oxygénerez votre cerveau. En relevant le menton, vous remontez aussi votre moral !

14. Humez !

Promenez-vous paresseusement (ça devrait être dans vos cordes !) en humant les odeurs alentour (asphalte et pots d'échappement exceptés), observez les fleurs, écoutez les chants d'oiseaux et les rires des enfants.

15. Formez un club

Si vous avez toujours mille excuses pour ne pas faire votre jogging, motivez-vous en vous fixant un rendez-vous avec des collègues ou des amis. Il y a bien des clubs d'astronomie ou d'investissements boursiers : alors pourquoi ne pas vous créer un club sportif hebdomadaire sympa ?

16. Soyez curieuse

Informez-vous sur les sports les mieux adaptés à votre motivation, à vos ambitions, à vos disponibilités et à vos compétences. Posez des questions à un professionnel, il vous ouvrira peut-être de nouveaux horizons !

17. Soyez circonspecte

Ne vous lancez pas dans une technique « tendance » juste parce que l'on vous en vante les mérites. Vous risqueriez d'être déçue et d'abandonner rapidement.

18. Soyez réaliste

Vos progrès et les résultats se font selon votre corps et votre morphologie et non pas selon l'image idéale que vous vous projetez dans votre tête.

19. Mettez votre entourage à contribution

Fixez le jour de vos activités et n'ayez aucune excuse ce jour-là : le mardi, par exemple. Le mari ou la baby-sitter s'occuperont des enfants, un point c'est tout.

20. Ne vous emballez pas

Il vous faudrait 140 orgasmes hebdomadaires pour brûler les 3 500 calories dépensées par l'activité physique chaque semaine ! Vous avez donc tout intérêt à conserver un sport d'appoint en couverture !

chapitre 6

Comment boire en vous épargnant bien des déboires

Boire un petit coup, c'est agréableuhhh ?

L'éternel refrain « C'est ma dernière cuite », on connaît. Si toutes les excuses vous sont bonnes pour trinquer plus que de raison, jetez un coup d'œil aux conséquences sur votre santé, votre poids, votre look. Et sur les moyens d'apprécier un petit verre rien que pour le plaisir.

Trop c'est trop !

Un problème avec l'alcool ? Certainement pas, vous n'êtes pas alcoolo ! Vous n'êtes (presque) jamais ivre, donc vous n'êtes pas dépendante. Vous fêtez juste certains événements comme il se doit ; d'ailleurs vous ne buvez que du bon vin, vous êtes une paresseuse bonne vivante en somme. La caricature de l'ivrogne, très peu pour vous !

Un peu d'honnêteté : ne croyez-vous pas que, justement, cette caricature vous donne des excuses pour justifier votre propre consommation ? Il faut pourtant que vous sachiez que l'alcool est dangereux même si l'on n'en ressent pas les effets, même si l'on n'est pas ivre ou dépendante. Songez-y : 5 millions de Français sont en difficulté avec l'alcool, avec des conséquences sanitaires directes (cancers, maladies cardiovasculaires, cirrhoses, maladies psychiques, etc.) liées à une consommation régulière et excessive – ce qui représente 23 000 morts par an, contre environ 4 000 liés à des accidents de la route. Pourtant, les sondages montrent qu'une majorité de Français méconnaissent encore les dangers d'une consommation excessive d'alcool. Plus de la moitié sous-estiment les seuils de consommation et pensent que l'on meurt davantage d'un accident de la route provoqué par l'ivresse que d'une consommation régulière de plus de

4 verres par jour. Donc, que vous consommiez des boissons alcoolisées régulièrement ou non, il est temps d'ouvrir les yeux sur certaines réalités.

173 BOUTEILLES DE VIN PAR AN ET PAR HABITANT

Bien que la consommation d'alcool soit en baisse depuis plus de 30 ans (– 30 % depuis 1970), la France reste parmi les plus gros consommateurs dans le monde avec en moyenne 15,6 litres d'alcool pur par an et par habitant, soit environ 173 bouteilles de vin ou 1 180 canettes de bière !

Les repères de la paresseuse

Vous pensez être « dans la norme » ? Les seuils d'une consommation modérée sont les suivants :

- Chez l'homme : 3 verres d'alcool par jour maximum (soit 36 g d'alcool pur).
- Chez la femme : 2 verres d'alcool par jour maximum (soit 24 g d'alcool pur).
- Femmes enceintes et enfants : consommation zéro !

Que vous optiez pour une flûte de champagne, une chope de bière ou un verre de vin, vous consommez à peu près la même quantité d'alcool, soit 10 g par verre. Le repère d'unité d'alcool correspond donc à 1 verre :

une chope de bière à 5° (25 cl) = une coupe de champagne à 12° (10 cl) = un verre de vin à 12° (10 cl) = un verre d'apéritif à 18° (7 cl) = un verre de pastis à 45° (3 cl) = 1 verre de whisky à 40° (3 cl) = une unité d'alcool, soit 10 g d'alcool

Paresseuse ou non, plus vous dépassez ces limites, plus vous vous exposez à des ennuis. Car, du fait des différences physiques de poids, de taille et de composition du tissu graisseux, les femmes sont plus sensibles à l'alcool que les hommes. Ainsi, pour une même quantité d'alcool absorbée, l'alcoolémie (quantité d'alcool par litre de sang) est plus élevée chez la femme que chez l'homme. Pour un apéritif – un verre de vin ou de bière –, l'alcoolémie va atteindre 0,33 g/l chez une femme contre 0,20 g/l chez un homme de 70 kg.

De plus, si les femmes ne boivent pas toujours pour les mêmes raisons que les hommes, elles sont exposées à des risques accrus de dépendance et de complications. Pendant longtemps l'alcoolisme fut considéré comme essentiellement masculin. Il est vrai que les hommes sont plus enclins à l'abus d'alcool et qu'ils l'extériorisent aussi plus facilement, notamment avec des copains. Cependant, l'on sait aujourd'hui que les femmes sont non seulement loin d'être épargnées par l'alcoolisme, mais aussi qu'elles sont particulièrement sensibles à la toxicité de l'alcool.

Si vous avez l'impression de « tenir l'alcool », c'est une sensation trompeuse. Car, malgré l'absence d'ivresse, les effets à plus ou moins long terme sont bien présents.

- **Sur le court terme,** vous pouvez fort bien être ivre à votre insu, avoir des comportements agressifs imprévisibles, prendre le risque d'un accident de la route (1 accident mortel sur 3), mais également de relations sexuelles à risques (non protégées), à cause d'une conscience et d'une vigilance nettement diminuées.
- **Sur le long terme,** votre appareil digestif, votre système cardiovasculaire et vos systèmes nerveux et psychique risquent d'être atteints. Comme nous le disions précédemment, 23 000 décès sont directement imputables à l'alcool et, si l'on y ajoute les cas où il est présent en tant que facteur associé, ce chiffre atteint 45 000. C'est la deuxième cause de mort évitable, alors réagissez !

EFFETS EN CHAÎNE

Au-delà des 45 000 décès annuels par pathologies associées à l'alcool, l'alcoolisme entraîne de multiples drames sociaux. Au volant, il est responsable en moyenne de 4 500 morts et 130 000 blessés de la route et d'un bon nombre d'accidents du travail et des loisirs (sport, bricolage...), sans oublier que 60 % des cas de criminalité (homicides, coups et blessures, viols, maltraitance) sont liés à l'alcool. Et environ 3 000 suicides par an lui sont aussi imputables.

Les faits et les méfaits de l'alcool

Pour une même quantité d'alcool absorbée, le taux d'alcoolémie est donc plus élevé chez la femme, parce que l'alcool se dilue moins rapidement dans une masse musculaire moins dense et que son élimination est plus lente. Il résulte de ces deux phénomènes une moindre tolérance vis-à-vis de l'alcool et le risque de devenir alcoolique augmente à partir d'une consommation équivalente à 5 verres chez l'homme, mais 3 verres seulement chez la femme !

Dans la réalité, il est cependant difficile de fixer un seuil rigide, car tout dépend de la manière de boire. Il y a celles qui consomment simplement pour le plaisir et celles qui sont en danger parce qu'elles boivent pour se sentir mieux. En effet, l'alcool n'est pas un produit ordinaire, c'est aussi une drogue qui, à peine absorbée, passe directement dans le sang et touche les principaux organes vitaux : cœur, estomac et appareil digestif, foie et cerveau. C'est le foie qui prend en charge l'essentiel de l'élimination et transforme plus de 90 % de l'alcool consommé, le reste étant éliminé par les poumons, les reins et la peau. Mais le foie a une capacité d'élimination limitée, variable selon les personnes, leur sexe, leur poids et leur âge. Et en cas de surdose répétée, l'alcool se livre à toutes sortes de méfaits sur votre organisme.

1. L'abus d'alcool détruit votre matière grise

L'alcool agit immédiatement sur le cerveau au niveau des centres de contrôle supérieur, des noyaux gris centraux et de la substance grise supérieure. Ces différents sièges cérébraux correspondent aux centres de la cognition (réflexion), de l'humeur et de l'anxiété.

C'est la raison pour laquelle vous avez l'impression justifiée, dans un premier temps, que boire un verre d'alcool lève vos inhibitions, calme votre anxiété, vous anesthésie et vous euphorise. C'est une sensation plutôt agréable, surtout quand on a le « vin gai », mais en cas d'excès, la douce euphorie se transforme en poison rapide qui peut provoquer le coma éthylique et la psychose alcoolique, parfois responsable de décès précoces (dès l'adolescence).

Votre système neuromusculaire peut aussi être touché, et provoquer des tremblements, des pertes de mémoire, un affaiblissement des réflexes, et un rétrécissement du champ visuel. Et enfin, l'abus répété provoque la dépendance alcoolique avec ses troubles psychiques associés : anxiété, dépression, insomnie, voire suicide !

Sans compter que l'alcool réduit votre précieuse matière grise ! Des chercheurs du National Institute on Alcohol Abuse and Alcoholism ont comparé, grâce à un scanner à résonance magnétique, le cerveau de 118 hommes et femmes alcooliques ou non. Ils ont ainsi constaté que le volume du cerveau des alcooliques était inférieur aux personnes sobres et que cette différence était nettement plus marquée chez les femmes. Chez le beau sexe, la différence du volume de la matière grise (qui concentre les fonctions mentales dites « supérieures ») est proportionnellement beaucoup plus diminuée !

ALCOOLISME ET DÉPRESSION

L'abord psychologique est déterminant lors de la prise en charge d'une personne alcoolique. Certaines études estiment que, pour 90 % des sujets alcooliques, dépression et alcoolisme sont liés. En effet, l'anxiété est fréquemment associée à l'alcoolisme car l'alcool est un anxiolytique bien connu.

2. L'abus d'alcool empoisonne vos organes

L'alcool exerce une action toxique sur le foie – véritable station d'épuration de l'organisme – en le rendant peu à peu fibreux et donc incapable d'assurer ses fonctions habituelles de transformation des substances toxiques ou de fabrication des protéines (c'est la cirrhose). Consommé régulièrement et en excès, l'alcool est un poison lent, responsable d'un nombre non négligeable de décès par cirrhose à partir de 35 ans, mais aussi de pancréatites alcooliques dans trois cas sur quatre, et de cancers des voies digestives supérieures (bouche, gorge, œsophage...) à partir de 45 ans en moyenne. Enfin, le système cardiovasculaire n'est pas épargné non plus, car si, à très faible dose, l'alcool semble bien avoir un effet protecteur sur le système cardiovasculaire, ses effets négatifs prennent vite le pas lors d'abus chroniques. Il est toxique pour le muscle cardiaque et peut provoquer de l'hypertension artérielle.

MISE EN GARDE

On estime qu'aux alentours de 3 g d'alcool dans le sang, vous êtes en danger. Au-delà, la mort vous guette !

3. L'alcool ne revigore pas

Une des opinions erronées les plus répandues sur l'alcool est l'idée selon laquelle il « donne des forces ». C'est faux. Certes, l'alcool éthylique, ou éthanol, apporte 7 calories par gramme d'alcool lorsqu'il est métabolisé dans le foie, mais sa transformation produit aussi de l'acide lactique qui entrave le travail musculaire. De plus, ces calories sont dépourvues de pouvoir énergétique ; elles sont en quelque sorte « vides », car elles ne fournissent ni sels minéraux, ni protéines, ni vitamines. Et comme la consommation d'alcool tend également à diminuer l'appétit, ce phénomène explique en partie pourquoi les grands buveurs sont maigres et présentent des carences en vitamines, qui peuvent entraîner des troubles cérébraux ou neurologiques.

Par ailleurs, si la consommation d'alcool peut avoir initialement un effet stimulant chez certaines personnes en leur donnant un sentiment d'euphorie, lorsque la quantité d'alcool devient plus importante, elle provoque au contraire une somnolence car l'alcool agit sur le système nerveux. Dans le pire des cas, elle peut provoquer un coma. Quant aux effets de l'alcool sur la sexualité, ils sont plutôt désastreux. Divers travaux ont montré que, même avec de faibles doses d'alcool, les performances (surtout masculines) sont diminuées. Tout au plus, l'alcool provoque-t-il une certaine désinhibition en modifiant les centres de contrôle cérébraux des émotions. Et au pire, on a constaté que d'aucuns s'endorment fort rapidement quand ils sont éméchés !

4. L'alcool ne réchauffe pas

Pas la peine de boire de l'alcool dans l'idée de vous réchauffer, même dans la toundra ! Certes, l'ingestion d'une boisson alcoolisée procure une sensation de chaleur en dilatant les vaisseaux sanguins présents sous la peau.

Mais la chaleur produite s'échappe immédiatement de l'organisme par les pores de la peau. À terme, la température corporelle est donc diminuée (de 0,5 °C pour 50 g d'alcool absorbé) et ceux ou celles qui ont beaucoup bu risquent une hypothermie (abaissement de la température corporelle), parfois mortelle.

La consommation d'alcool ne désaltère pas non plus. Elle induit même une déshydratation, car l'alcool possède un effet diurétique. Cette perte d'eau pourrait être à l'origine de la sensation si désagréable de « gueule de bois », qui ne réclame d'autre traitement que le repos, la consommation d'eau ou de jus de fruits en abondance et, éventuellement, la prise d'aspirine.

Enfin, sachez que, si vous avez abusé de la bouteille, la consommation d'un café ne pourra guère aider à vous dégriser ; celui-ci n'a pas le pouvoir de faire baisser le taux d'alcool dans le sang. Et espérer vous en tirer en buvant de l'alcool dilué dans de l'eau n'arrangera pas plus votre affaire. Pour éliminer les effets de l'alcool, une seule chose est efficace : le temps ! En revanche, il est vrai que la consommation d'un repas influence la façon dont l'alcool est assimilé – ce qui module le taux d'alcoolémie. Lorsque l'estomac est vide, l'absorption de l'alcool est plus rapide. À l'inverse, la présence d'aliments solides et gras ralentit le passage de l'alcool dans le sang – ce qui ne règle d'ailleurs pas tout, car si l'absorption est ralentie, l'élimination n'en sera que plus lente !

5. L'alcool ne s'élimine pas vite

De fait, le taux d'alcool sanguin monte assez rapidement après la consommation d'une boisson alcoolisée : en 1/2 heure à jeûn et en 1 heure lors d'un repas. Et son élimination est assez longue, l'alcoolémie s'abaissant de 0,15 g/l par heure en moyenne. 4 à 5 heures au minimum sont donc nécessaires pour qu'une alcoolémie de 0,6 g/l revienne à la normale, un taux atteint avec 2 ou 3 verres de vin maximum.

Au demeurant, il ne s'agit là que de généralités ; les femmes, majoritairement de taille plus faible que les hommes, sont plus sensibles à l'alcool et la concentration dans le sang s'accroît chez elles plus rapidement et dans des proportions plus importantes. Et certaines réagissent particulièrement mal aux effets de l'alcool, car elles manquent d'une enzyme, l'alcool-déshydrogénase, qui a pour fonction d'éliminer l'un des principaux produits de transformation de l'alcool. D'autres paramètres entrent aussi en jeu dans le niveau d'alcoolémie comme l'accoutumance à l'alcool, les capacités de transformation du foie ou la consommation de médicaments.

Donc, boire un petit coup, c'est agréable, mais... une fois absorbé par le tube digestif, l'alcool se répand dans tous les tissus de l'organisme et il modifie l'activité du cerveau – d'où la sensation d'ivresse. **En France, la limite autorisée pour conduire est maintenant de 0,5 g/l d'alcool dans le sang.** Des changements dans l'appréciation des distances et une diminution de la rapidité des réflexes apparaissent dès que l'alcoolémie atteint ou dépasse ce taux. C'est pourquoi certains pays comme la Suède n'autorisent la conduite automobile qu'avec une alcoolémie inférieure à 0,2 g/l. Et sachez qu'au-delà de 1 à 2 g/l c'est la véritable ivresse et qu'après 3 g/l le danger de coma est réel. Soyez donc extrêmement vigilante, ne dépassez en aucun cas le taux autorisé si vous devez conduire : d'abord pour votre sécurité et celle des autres ; et ensuite pour ne pas perdre de nombreux points de permis et être obligée par la police de rester 4 heures sur le bas-côté de la route ou passer la nuit au poste en attendant que votre taux d'alcoolémie veuille bien redescendre.

Pleins feux sur la « gueule de bois »

Tous vos malheurs sont la conséquence du métabolisme de l'alcool, c'est-à-dire du mécanisme biologique de dégradation de l'alcool. L'alcool étant toxique pour le corps, celui-ci dispose de mécanismes de défense (de détoxication) qui vont le dégrader et le neutraliser. L'alcool ingurgité est soumis, à l'intérieur du foie, à l'action de trois enzymes, c'est-à-dire de trois substances élaborées par l'organisme pour activer les réactions chimiques de destruction.

1re étape : Une première enzyme intervient lorsque vous avez bu avec modération, pour transformer l'alcool en un produit moins toxique qui sera éliminé.

2e étape : Quand vous avez bu plus que de raison, cette première enzyme est rapidement dépassée dans ses capacités de dégradation de l'alcool, et une autre enzyme entre alors en scène, entraînant la production d'un produit intermédiaire, qui cependant reste, lui aussi, toxique pour l'organisme. C'est lui qui est responsable, entre autres, des rougeurs et des vomissements de l'après-beuverie.

3e étape : Plus tard, une troisième ligne de défense se met en route, avec l'intervention d'une troisième enzyme qui transforme le composé intermédiaire en un composé plus inoffensif (qui n'est ni plus ni moins qu'un des composants du vinaigre).

Au final, la « gueule de bois » s'explique par la présence du composé intermédiaire de dégradation de l'alcool, qui s'accumule (si vous avez beaucoup bu) en attendant d'être décomposé en un produit non toxique. Des études ont montré que les symptômes désagréables de la « gueule de bois » sont d'autant plus marqués que l'alcool consommé contient une proportion importante d'un alcool particulier, appelé « méthanol ». En effet, les enzymes qui dégradent l'alcool transforment ce méthanol en formol et en acide formique (c'est l'acide que sécrètent les fourmis !). Le méthanol est bien plus toxique que l'éthanol qui, lui, est le produit de dégradation de l'alcool « standard » contenu dans le vin.

Cette notion permet de classer les alcools en fonction de leur capacité à donner plus ou moins la « gueule de bois ». Par ordre décroissant de teneur en méthanol, on peut citer successivement le brandy, le vin rouge, le rhum, le vin blanc, le gin et la vodka. Par conséquent, une cuite à la vodka est censée être moins douloureuse qu'une cuite au brandy (ce qui reste à prouver !). De plus, la capacité plus ou moins importante de chacun à supporter les effets de l'alcool est en partie génétiquement déterminée. Par exemple, le gène qui permet la synthèse de l'enzyme « anticuite » est absent chez 44 % des Japonais, alors qu'il est présent chez 100 % des Européens – ce qui veut seulement dire que les Européens tiennent mieux l'alcool, pas qu'ils sont à l'abri de la « gueule de bois » !

TENEUR EN ALCOOL

Pour connaître la teneur en alcool d'une boisson, on se réfère le plus souvent au chiffre qui figure sur l'étiquette et qui oscille de 4 à 40 (vol. %). Pourtant il ne faut pas confondre le signe « ° » avec un pourcentage, car il symbolise un volume d'alcool pur en pourcentage. Par exemple, pour connaître la quantité d'alcool pur pour 100 ml, il faut multiplier le volume par 0,8. Ainsi un vin qui titre à 15 contient 12 g d'éthanol pour 100 ml.

Comment ne pas avoir trop mal aux cheveux ?

La bouche pâteuse, un bon mal de crâne, une grosse fatigue, des nausées, des vertiges et votre tête des mauvais jours en prime, voici en quelques traits le tableau peu reluisant que vous donnez au lendemain d'agapes. Les excès d'alcool, associés à une nourriture plus riche que d'habitude et un manque de sommeil vous laissent parfois un souvenir amer des folies de la veille. Avec le recul, vous êtes peut-être allée trop loin, et maintenant, votre organisme se venge un peu.

Cuillérée d'huile d'olive, café..., les remèdes de grand-mère pour éviter la « gueule de bois » sont nombreux. Mais sont-ils réellement efficaces ? Correspondent-ils à une réalité médicale ? Rien n'est moins sûr, jugez-en :

« Pour boire sans éprouver l'ivresse, il faut avaler une cuillérée d'huile d'olive avant le repas »

Faux : cette pratique part du principe que l'huile tapisserait les parois de l'estomac et limiterait donc l'absorption de l'alcool. Le fait de se remplir l'estomac avec de l'huile ou tout autre aliment permet avant tout de ralentir l'évacuation gastrique et donc le passage de l'alcool dans le sang, mais cela n'empêche pas de finir par être ivre si l'on boit trop.

« Pour ne pas avoir mal à la tête, il faut éviter les mélanges vin blanc / vin rouge »

Faux : ce ne sont pas les mélanges en eux-mêmes qui sont dangereux, mais les excès d'alcool. Cependant, certaines personnes présentent une sensibilité particulière aux vins blancs, caractérisée par des maux de tête.

« Pour limiter les effets de l'alcool, il faut prendre une douche fraîche et boire plusieurs cafés noirs »

Faux : ni la douche, ni le café ne font baisser l'alcoolémie, seul le temps a cette vertu. Néanmoins, l'un et l'autre permettent de lutter contre la somnolence.

« L'exercice physique accélère l'élimination d'alcool par le foie »

Faux : rien ne peut accélérer le travail d'élimination du foie, ni l'exercice physique, ni le froid ou la chaleur, ni même l'absorption d'aliments ou de médicaments. Seul le temps permet de faire baisser l'alcoolémie et la capacité d'élimination varie d'un individu à l'autre. Une personne en bonne santé élimine en moyenne 0,15 g d'alcool par heure. Résultat : si un verre s'avale en quelques secondes, il faut 90 minutes au minimum pour l'éliminer !

Donc, faites-vous une raison, il n'existe pas de remède miracle. Le seul « truc », c'est de boire modérément et d'éviter le cumul et les mélanges.

TRUCS DE PARESSEUSE POUR MAÎTRISER SA CONSOMMATION D'ALCOOL

- **Ne videz pas trop souvent, ni trop vite, votre verre de vin ou votre coupe de champagne.**
- **Remplissez votre verre d'eau au début du repas si vous souhaitez que votre hôte ne remplisse pas de vin votre verre.**
- **Pour éviter les mélanges, faites tout le repas au champagne (c'est top mais très coûteux) ou encore optez pour un cocktail de jus de fruits à l'apéritif et poursuivez avec un seul vin tout au long du repas.**
- **Et un dernier conseil : n'oubliez pas de boire de l'eau à profusion !**

Les vertus des grands vins et des petits crus

Vous avez maintenant une idée des effets néfastes de l'alcool sur la santé, mais – bonne nouvelle pour l'œnologue que vous allez devenir – le vin, s'il enivre, peut aussi prévenir bien des maux, à condition bien sûr de le boire avec modération.

De nombreuses études parlent des effets bénéfiques du vin sur la santé, le *french paradox* étant certainement le plus connu d'entre eux. On doit l'expression à un journaliste américain, qui le premier évoqua ce « paradoxe français » qui souligne la contradiction apparente entre les maladies dont souffrent nombre de Français (diabète, cholestérol), leur nourriture riche, leur sédentarité, et le fait que leur mortalité due aux maladies cardiaques est l'une des plus faibles du monde. Et c'est là qu'est le paradoxe : alors que les Français sont plutôt « plats en sauce, fromages » et surtout « bon vin », comment peuvent-ils être moins touchés par les problèmes cardiaques ?

En vérité, cette « exception française » a été remise en cause récemment. Ainsi, l'étude internationale Monica (*Monitorings trends and determinants in cardiovascular disease*), réalisée par l'Organisation mondiale de la santé sur plus de 170 000 sujets, a démontré que la fréquence de la maladie coronaire en France n'était pas exceptionnelle, mais du même ordre que celle des pays du Sud, de même latitude. Il faudrait donc davantage parler d'un « effet méditerranéen ». Et si les habitants de ces pays sont moins touchés par les maladies cardiovasculaires que ceux du Nord de l'Europe, c'est probablement parce que leurs assiettes contiennent moins de graisses animales et plus de fruits et de légumes !

Le vin a-t-il tout bon ?

Mais si le *french paradox* est contesté, les bienfaits du vin pour le cœur sont-ils pour autant inexistants ? Pas si l'on en croit de nombreuses études ! La consommation modérée de vin aurait un rôle protecteur pour les artères. 2 verres par jour, au maximum, réduiraient de 25 à 30 % le risque de problèmes cardiaques.

Outre cet effet protecteur contre les maladies cardiovasculaires, le vin serait également bénéfique pour les capacités cognitives. Plusieurs études soulignent ainsi des effets positifs sur les neurones. Il préviendrait notamment l'apparition de démences séniles ou de la maladie d'Alzheimer.

Dans le détail :

Le vin renferme des tanins

Les tanins sont bons pour les artères. Le raisin en est riche, ainsi qu'en pigments colorants. Les polyphénols font partie de ces pigments ; ils sont responsables de l'astringence des fruits et des légumes, mais également de la couleur ou de l'arôme de certaines boissons. Ils auraient, entre autres, un effet protecteur sur le cœur. Ces substances font l'objet de nombreux travaux prometteurs. Notez que le raisin noir contient plus de ces polyphénols cardioprotecteurs que le blanc.

Les polyphénols sont des antioxydants qui combattent l'action vieillissante provoquée par les radicaux libres sur les parois artérielles. Ils contribuent aussi à fluidifier le sang – un peu à la manière de l'aspirine –, ils provoquent l'augmentation du « bon » cholestérol (HDL) et permettent aux artères « malmenées » par la nervosité de se détendre et de se dilater. D'où l'action antistress du vin.

Enfin, le raisin, élément de base du vin, gros grains rouges ou petits grains mordorés, est rafraîchissant et énergétique. Il est aussi diurétique, car riche en potassium, et a une légère action laxative, due à la présence de fructose et de fibres.

RESVÉRATROL, QUAND TU NOUS TIENS

En recherchant des molécules anticancéreuses dans plus de 600 plantes, une équipe scientifique de Chicago a découvert du resvératrol dans la peau de raisin, dans le vin, les mûres et les cacahuètes. Or, le resvératrol pourrait prévenir le cancer. En attendant le résultat des études cliniques en cours, manger des grains de raisin ou boire leur jus est excellent et efficace pour lutter contre les baisses de tonus !

Le vin facilite la digestion

Il est certain qu'un bon cru est facile à digérer : il participe au travail de l'estomac. Les champagnes, eux, font de même par une action à la fois chimique et mécanique sur l'appareil digestif. Leur teneur en bitartrate de potassium favorise la contractilité et la tonicité des fibres musculaires lisses de la paroi de l'estomac. D'autre part, la présence d'acide carbonique naturel réveille l'élasticité de cet organe.

Le vin contient des vitamines

Celles du groupe B (B1, B2, B6, B12), qui participent au métabolisme des protéines et des glucides, dont vous n'ignorez plus l'importance, de la vitamine PP, des acides foliques, ainsi que de la vitamine C. Le vin renferme aussi des minéraux : il contient du fer, du silicium et du zinc, du magnésium et du calcium.

Vous pouvez, si vous le souhaitez, choisir un vin bio, issu de vignes cultivées selon les principes de l'agriculture biologique, c'est-à-dire sans engrais chimiques, ni herbicides de synthèse. La fermentation résulte d'un processus naturel après un pressage modéré, sans que l'on recherche un rendement excessif. On les trouve en Provence, dans le Bordelais et dans le Languedoc. Notez que la culture de la vigne peut être libellée « bio », mais pas la vinification, étape essentielle de la fabrication d'un vin, qui échappe à toute classification « biologique ». De plus, la classification « bio » n'est pas obligatoirement synonyme de « qualité », même si, parmi les dix meilleurs vins du monde, neuf sont fabriqués selon des principes biologiques. Enfin, sachez que le producteur n'est pas tenu de l'indiquer sur la bouteille.

En résumé, pour que tous ces effets du vin soient bénéfiques, il faut boire modérément, mais avec régularité (soit 1 ou 2 verres par jour) ! Reste à déterminer qui, du vin rouge ou du vin blanc, est le meilleur pour la santé (les paresseuses ont tendance à préférer le blanc).

Pour le vin blanc, on ne dispose pas d'études susceptibles d'apporter une réponse. Mais on sait que c'est la vinification du vin rouge, notamment la longue macération de pépins, de la peau du raisin et des rafles (ce qui reste de la grappe quand on a enlevé les grains) dans le jus, qui entraîne la présence dans le liquide d'environ 1 000 composants dont les polyphénols. Or, cette macération n'a pas lieu d'être avec le vin blanc qui ne contiendrait que 500 composants. Et si certaines personnes supportent mal le vin blanc, c'est dû à la présence excessive de soufre dans les vins « mal » faits, qui provoque notamment des maux de tête.

Quant aux vins à bulles, qu'ils soient blancs, rosés ou rouges, leur caractère pétillant n'a aucune conséquence sur la santé, si ce n'est une influence positive sur le moral de la paresseuse qui en boit pour faire la fête !

LE ROUGE DÉCRYPTÉ

Le vin rouge est une boisson aux multiples constituants, à la fois savoureux et d'apport judicieux dans leur composition :
Eau (85 %), alcool (8 à 9 %), acides tartrique et malique, minéraux (potassium, magnésium, phosphore, soufre), sucres (glucose, fructose), tanins, polyphénols (flavonoïdes, anthocyanidols, des antioxydants majeurs).

Les autres boissons ont-elles tout faux ?

Les boissons fermentées

Le cidre : c'est la fermentation alcoolique de pommes fraîches qui donne le cidre (et celle des poires le poiré). Le cidre est ensuite plus ou moins sucré pour donner, au choix, du cidre doux (3 à 5°) ou brut (5 à 6°). Seuls les cidres sans ajout d'eau peuvent porter l'appellation « cidre pur jus ». Au niveau calorique, le cidre n'est pas trop méchant (de 32 à 36 Kcal pour 100 ml). En revanche, il peut enivrer si l'on en abuse.

La bière : elle provient de la fermentation alcoolique de céréales germées comme le blé, le houblon et l'orge (le malt est le nom donné à l'orge germé). La teneur en alcool des bières peut varier de 3 à 8°. L'apport nutritionnel des boissons fermentées se situe pour la bière entre 105 et 150 calories pour 33 cl – ce qui n'est pas négligeable si l'on a la fâcheuse habitude de boire son demi quotidien. De plus, en dehors de son degré d'alcool, la bière est riche en sucre, l'association des deux n'étant pas favorable à votre ligne ! Donc, même si elle apporte moins de calories que le vin, méfiance, car elle a aussi tendance à faire grossir.

En dehors du sucre et de l'alcool, les boissons fermentées de bonne qualité contiennent des minéraux (calcium, magnésium, potassium, sodium) et quelques vitamines, en quantité variable, notamment du groupe B.

Les boissons distillées

Les alcools (whisky, rhum, etc.) subissent, au départ, le même procédé de fermentation, mais par la suite, le liquide obtenu est distillé. Cette opération consiste à récupérer l'alcool par chauffage puis par condensation. On obtient alors des produits très riches en alcool. Ces alcools se consomment à ce stade final d'élaboration (l'eau-de-vie et le marc, par exemple) ou additionnés de sucre, de sirop, de jus de fruits, etc. pour obtenir des liqueurs ou des crèmes.

Les boissons distillées sont donc les plus riches en alcool pur et elles contiennent également une quantité de glucides variant selon les préparations, sans autres éléments nutritifs. Ce qui revient à dire que, si les boissons alcoolisées sont fréquemment associées à la fête et au plaisir, elles ne sont en aucun cas nécessaires au bon fonctionnement de l'organisme. D'une part, elles sont riches en calories et, d'autre part, elles sont toxiques pour le métabolisme et altèrent le fonctionnement du système nerveux. Conclusion : si vous ne voulez pas vous faire du mal pour rien, vous devez les consommer avec la plus grande modération.

LES BOISSONS SANS ALCOOL

Il apparaît sans arrêt de nouvelles boissons dites « sans alcool ». Du côté des bières, il existe réellement des produits dont la teneur ne dépasse pas 1° d'alcool. En revanche, en dehors de l'absence d'alcool, ces bières n'ont pas plus de particularités que d'autres. Les nouvelles boissons sans alcool sont, quant à elles, totalement synthétiques. Elles sont préparées à partir d'aromates, de plantes ou d'essences, mais la plupart du temps, l'avantage de ne pas consommer d'alcool est contrebalancé par une extrême richesse en sucre.

Boire ou maigrir, il faut choisir

S'il s'agit de boire beaucoup, pas de doute, il faut choisir : 1 g d'alcool = 7 Kcal ! Des calories « vides », sans valeur nutritive, qui vont se loger directement sur vos hanches !

L'alcool est un produit de fermentation du glucose à haute valeur calorique. Pour preuve, 1 litre de vin rouge à 10° (ou 10 % vol.) contient 80 g d'alcool – ce qui représente un apport de 560 calories. Par ailleurs, la consommation d'alcool favorise la prise de poids car, outre son apport calorique élevé, il stimule l'appétit – ce qu'indique bien d'ailleurs le terme *apéritif* (« qui stimule l'appétit »). Conclusion : une paresseuse qui se respecte boit avec modération et choisit sa boisson avec circonspection !

L'ALCOOL NE FAIT PAS MAIGRIR

Votre poids a baissé malgré une soirée bien arrosée ? L'explication est simple : l'alcool qui est un produit diurétique a pour vertu d'augmenter l'excrétion urinaire de l'eau. La perte de poids est (hélas) une perte en eau tout à fait momentanée !

Le ballon de la paresseuse

Vous avez sûrement entendu dire que le vin était une boisson qui fait grossir. Certes, il contient de l'alcool et du sucre, des composés riches en énergie. Mais tous les vins renferment-ils la même quantité de calories ? N'est-ce pas plutôt les plats qui les accompagnent qui peuvent menacer votre ligne ?

Le vin n'est pas aussi calorique que ça, si vous vous en tenez à une quantité raisonnable bien sûr. La majorité des crus ne contiennent que 1 à 3 g de sucre pour 100 ml. L'énergie vient en fait de l'alcool et non pas des glucides. Donc, plus le degré d'alcool est faible et moins la bouteille contiendra de calories. Beaucoup de vins tournent autour de 12° d'alcool, soit un peu moins de 90 Kcal pour 100 ml (l'équivalent de 1 verre-ballon). Mais attention ! certains vins peuvent titrer nettement plus, comme les vins blancs liquoreux et les vins doux naturels, qui sont des vins que l'on boit occasionnellement, comme le sauternes avec le foie gras ou le petit muscat en apéro (ne pas abuser des bonnes choses !).

Pour vous faire plaisir sans vous plomber de calories, jetez un coup d'œil sur la valeur énergétique de quelques vins :

	Alcool pour 100 ml	Glucides	Valeur énergétique pour 100 ml
Vins doux naturels (muscat, banyuls...)	17 g	7 g	149,8 Kcal
Vins blancs liquoreux (sauternes, monbazillac...)	13,5 g	1,5 g	101,3 Kcal
Vins rouges à 12° (beaujolais, bordeaux...)	12,5 g	0,3 g	89,5 Kcal
Vins rosés à 12° (cabernet d'anjou, côtes-de-provence...)	12 g	0,5 g	86,8 Kcal

Vins blancs secs à 12° (vins d'Alsace, bourgogne blanc, vins de Savoie...)	12 g	0,5 g	86,4 Kcal
Vins mousseux	11 g	1,5 g	83,8 Kcal
Champagne	10 g	2,5 g	80,8 Kcal

Personne ne vous reprochera un bon verre de vin ; par contre, méfiez-vous comme la peste des associations bon vin / bons petits plats... Trop c'est trop ! En effet, l'alcool réduisant la quantité de graisse brûlée dans l'organisme, les excès peuvent donc favoriser le stockage des graisses, en particulier lorsque la nourriture est trop riche. Or, l'on a tendance à boire un vin rouge qui se marie bien avec le cassoulet ou la côte de bœuf, alors que, à l'évidence, la salade n'appelle pas vraiment le grand cru. Sans renoncer ni aux fêtes, ni aux produits du terroir, faites attention aux quantités et réservez certaines associations hypercaloriques aux occasions exceptionnelles.

LIAISONS DANGEREUSES... POUR LA LIGNE !

(Pour 2 verres, soit 200 ml)

- **Monbazillac + 60 g de foie gras = 471 Kcal**
- **Champagne + 130 g de saumon fumé = 400 Kcal**
- **Riesling + 200 g de choucroute = 470 Kcal**
- **Chinon + pot-au-feu (150 g) = 370 Kcal**
- **Rosé de Provence + paella (300 g) = 550 Kcal**

L'apéro de la paresseuse

Évidemment, un apéritif comporte... des boissons apéritives. Et là encore, les calories sont au rendez-vous. Sans parler des effets néfastes de l'alcool sur tous les plans. La règle d'or : ne vous accordez pas plus de 1 verre d'alcool par soirée, passez ensuite à l'eau ou aux jus de fruits. Déjouez les pièges, troquez votre verre de whisky (250 Kcal) contre 1 jus de tomate, 1 Perrier ou même 1 verre de vin rouge.

Côté « amuse-gueule », préférez les bâtonnets de légumes (100 g = de 20 à 60 Kcal) à la poignée de cacahuètes (environ 200 Kcal) ou aux chips (50 g = 270 Kcal).

Si c'est vous qui organisez l'apéritif, proposez plutôt des jus de légumes ou de fruits, avec éventuellement de la bière sans alcool, des apéritifs anisés sans alcool et des sodas *light* : ça vaut le coup d'avoir des idées malignes quand on constate l'addition calorique des apéritifs traditionnels...

Les apéritifs traditionnels

○ 1 apéritif anisé (4 cl)	108 Kcal
○ 1 bière (33 cl)	105 Kcal
○ 1 bourbon (4 cl)	96 Kcal
○ 1 Cinzano (4 cl)	56 Kcal
○ 1 flûte de champagne	80 à 110 Kcal
○ 1 kir (10 cl)	85 Kcal
○ 1 Martini (7 cl)	112 Kcal
○ 1 porto (7 cl)	100 Kcal
○ 1 Suze (4 cl)	56 Kcal
○ 1 verre de vin (15 cl)	75 à 110 Kcal
○ 1 vodka (4 cl)	100 Kcal
○ 1 whisky (4 cl)	90 Kcal

Les digestifs, c'est pas mieux

○ 1 calvados (4 cl)	100 Kcal
○ 1 armagnac (4 cl)	90 Kcal
○ 1 cognac (4 cl)	90 Kcal
○ 1 eau-de-vie (4 cl)	90 à 124 Kcal
○ 1 liqueur (4 cl)	105 Kcal

TENDANCES

De nombreuses boissons, comme les panachés en bouteille ou les cocktails apéritifs, envahissent les étalages au gré des tendances marketing. Ce sont souvent des vins ou de l'alcool, additionnés d'eau, de plantes ou d'essences, afin de créer des goûts particuliers, auxquels on ajoute une bonne dose de sucre. Si vous ne voulez pas grossir « bêtement », zappez carrément !

Le prix à payer

Pour éliminer…	vous devez :
○ 1 verre de vin blanc (environ 85 Kcal)	marcher 22 mn ou faire 13 mn de vélo ou nager 10 mn
○ 1 Martini (140 Kcal)	marcher 37 mn ou faire 22 mn de vélo ou nager 17 mn
○ 1 canette de bière (105 Kcal)	marcher 28 mn ou 17 mn de vélo ou nager 13 mn

L'H_2O de la paresseuse

Eaux potables, eaux de source, eaux de table, eaux minérales gazeuses, eaux minérales plates et eau de fleur d'oranger ont toutes un point commun : elles apportent 0 calorie !

La paresseuse soigne sa ligne

Si l'eau ne fait pas maigrir (boire beaucoup n'empêche pas de grossir, contrairement à une idée reçue encore solidement ancrée dans l'esprit de nombreuses femmes !), elle représente une « aide minceur » appréciable lorsque l'on souhaite conserver sa silhouette et *a fortiori* perdre du poids. Voilà pourquoi, dans ce contexte, il est souhaitable d'augmenter sa consommation d'eau. D'une part, parce que l'eau n'apporte aucune calorie ; d'autre part, parce qu'elle représente une aide précieuse pour :

1. Drainer les déchets métaboliques si vous maigrissez.

2. Remplacer le grignotage par la prise répétée de petites gorgées d'eau, qui est une bien meilleure habitude.

3. Procurer une sensation d'estomac plein, bien utile pour contrebalancer les repas trop peu volumineux. Cette sensation se décuple lorsque vous consommez des fibres végétales qui gonflent avec l'eau et, en outre, améliorent le transit intestinal.

4. Apporter, pour certaines eaux, des minéraux – calcium et magnésium – dont les apports sont intéressants si votre alimentation est carencée.

L'eau diminue la sensation de faim et augmente la satiété, provoquant un effet de « leurre » pour l'organisme. Elle peut ainsi jouer un astucieux rôle de « coupe-faim » naturel et totalement inoffensif. Songez aussi aux aliments riches en eau. En principe, les aliments représentent 1/3 de votre consommation d'eau (les 2/3 restants étant fournis par les boissons). Mais certains aliments hydratent plus que d'autres et vous pouvez alors puiser près de la moitié de vos besoins en eau – plus de 1 litre – dans… votre assiette ! Et vous avez tout intérêt à privilégier les aliments les plus désaltérants. En tête : les légumes et les fruits frais, avec une mention spéciale pour la laitue, le concombre, l'endive, l'aubergine, la courgette cuite, les champignons et la pastèque qui culminent à 95 % d'eau, contre 75 % pour l'avocat, la banane et la pomme de terre. D'ailleurs, cette forte concentration en eau dans les aliments ne peut que vous être bénéfique, car les aliments les plus riches en eau sont aussi les meilleurs pour votre ligne, alors que les aliments les plus pauvres en eau sont les plus caloriques (plus la valeur nutritive d'un aliment est élevée, moins il contient d'eau). Les plus mal placés sur l'échelle des aliments hydratants : bonbons et cacahuètes, chocolat noir, et surtout huile et sucre (ces deux derniers ne contiennent pas la moindre gouttelette d'eau !). Pour autant, n'oubliez pas de consommer des quantités raisonnables de sucres lents qui offrent un excellent effet rassasiant.

À QUELLE TEMPÉRATURE ?

Là aussi c'est celle qui vous plaît le plus : fraîche (l'eau fraîche est souvent plus goûteuse, mais c'est encore et toujours une question de… goût !) ou à température ambiante. On dit même que, si vous laissez une bouteille d'eau minérale toute la nuit au pied de votre lit et que vous en absorbez un verre (presque tiède donc) le matin à jeûn, avant de poser le pied par terre, cela facilite le transit intestinal…

La paresseuse hydrate son corps

L'eau est source de vie ; d'ailleurs votre corps est composé de 60 % d'eau et celui d'un nourrisson de 75 % ! Et vous perdez en moyenne 2,5 litres d'eau par jour – ce qui vous oblige, pour conserver votre poids et vos fonctions vitales, à en boire au moins autant. Or, une paresseuse type ne boit que 1,5 litre d'eau par jour. Heureusement que, malin, votre organisme sait puiser le reste dans votre alimentation, en utilisant le système sanguin.

L'eau nécessaire à votre survie vient de plusieurs sources : la première des boissons que vous consommez quotidiennement (1 à 1,5 litre par jour) ; la deuxième est l'eau contenue dans les aliments (environ 1 litre par jour) ; et la troisième est celle produite par votre organisme au travers des diverses réactions chimiques.

Donc, faites-vous du bien ! Pourquoi ne pas arrêter de boire de l'alcool pendant quelques jours et boire de l'eau à gogo ? L'eau est l'alliée de votre ligne : elle favorise l'élimination des déchets, elle vous coupe l'appétit, elle vous hydrate, lutte contre la cellulite et vous donne une belle peau. Et n'attendez pas d'avoir soif, car quand vous avez soif, c'est que la déshydratation (notamment due à la sudation) est déjà bien lancée. Telles des sentinelles, vos cellules vont alors stimuler des récepteurs nerveux situés dans l'hypothalamus, et dont le rôle sera de provoquer votre soif pour remédier au problème. Et c'est presque inconsciemment que vous tendez alors la main vers la bouteille… d'eau la plus proche pour avaler quelques gorgées.

N'hésitez surtout pas, vous avez des reins qui ressemblent à deux haricots et pèsent à peine 150 g pièce, mais qui fournissent un travail colossal. Grâce à un réseau composé d'un million de vaisseaux sanguins et de quelque 20 km de tubes et conduits divers, ils vont filtrer le sang dès son retour des poumons. En effet, s'il s'est enrichi en oxygène, les nutriments qu'il transporte ne sont pas encore assez propres pour nourrir vos tissus. Et c'est là qu'interviennent vos reins, qui, telle une usine de traitement de déchets, vont s'activer à l'épurer de ses substances toxiques. Ici, on ne chôme pas : plus de 1 litre de sang traverse vos reins chaque minute, soit près de 1 700 litres par jour !

BON À SAVOIR

La masse maigre est plus hydratée que la masse grasse : elle contient en moyenne 73,2 % d'eau, contre 15 % environ pour la masse grasse (les graisses sont hydrophobes).

La paresseuse hydrate sa peau

Votre peau a soif ! Tous les types de peaux peuvent être sujets à la déshydratation, un état heureusement passager et réversible. Si votre peau manque d'eau, elle aura un aspect caractéristique : rugosité au toucher, manque de souplesse, d'élasticité, fines stries au niveau des contours et teint terne. Seul remède : apporter à votre peau déshydratée de l'eau et encore de l'eau, pour compenser la perte et restaurer l'hydratation de la couche cornée.

Une étude menée par Nestlé Waters a conclu que les personnes consommant moins de 800 ml d'eau par jour souffraient d'une nette déshydratation de l'épiderme, se manifestant par des rides et des ridules de sécheresse, mais aussi par un prurit (démangeaisons), voire des allergies cutanées (eczéma). Dépourvu de vascularisation, l'épiderme dépend du derme pour sa nourriture. Si l'hydratation est insuffisante, le flux d'éléments nutritifs est perturbé et la peau fragilisée. Et n'oubliez pas non plus qu'il est indispensable de protéger votre peau contre des agressions extérieures avec des produits adaptés (crèmes hydratantes, filtres solaires, etc.).

TRUCS DE PARESSEUSE POUR BOIRE MIEUX

- **Tenez un carnet alimentaire quotidien détaillant tout ce que vous consommez (aliments et boissons) au cours d'une journée. C'est un bon « truc » qui permet de réaliser certaines erreurs dont on n'a pas toujours conscience (notamment la prise de boissons sucrées).**
- **Buvez 1 à 2 verres d'eau supplémentaires avant ou au cours du repas pour diminuer la sensation de faim et augmenter la satiété.**
- **Commencez votre repas par une soupe de légumes (uniquement de l'eau et des légumes). Non seulement elle est riche en eau mais il est prouvé qu'elle réduit la prise alimentaire, à condition qu'elle soit non passée (les légumes doivent être peu ou non mixés).**

- Vérifiez que vous êtes correctement hydratée : vos urines doivent être claires et abondantes. Si elles sont foncées (en dehors de la prise de certains médicaments), il faut boire plus.
- Créez l'envie de boire en prenant l'habitude de placer en permanence une bouteille d'eau dans tous les lieux où vous passez le plus de temps : au bureau bien sûr, mais aussi dans votre voiture, au pied de votre lit, à côté de la télévision et évidemment chaque fois que vous faites du sport. Ainsi boire deviendra un geste routinier, un automatisme que vous ferez naturellement sans plus y penser.
- Apprenez à boire sans soif si vous avez tendance à trop peu boire, car la soif est un phénomène trompeur dont l'apparition est souvent tardive.
- Buvez de préférence à la bouteille (l'expérience prouve que, de cette façon, on boit davantage qu'au verre), en prenant soin (pour des raisons microbiologiques) d'être la seule personne à boire dedans et de ne pas la conserver trop longtemps (vous serez ainsi sûre d'avoir satisfait vos besoins hydriques).

Comment s'y retrouver ?

Il existe cinq catégories d'eaux embouteillées : les eaux de table, de source, gazéifiées, minérales et aromatisées, toutes obéissant à des définitions « réglementaires ».

Les « gazeuses » sont des eaux naturellement gazeuses, même si elles ont le droit d'être regazéifiées avec un gaz provenant de la même source ou avec plusieurs types d'eaux provenant d'eau de source naturellement gazeuse.

L'eau minérale, comme son nom l'indique, contient des minéraux (plus ou moins). Ces eaux ont des vertus thérapeutiques.

Les eaux de source proviennent d'une source répertoriée et sont directement embouteillées, sous réserve d'un examen bactériologique.

L'eau dite « de table » est une eau naturelle, simplement embouteillée, qui provient du robinet et ne comporte aucune propriété thérapeutique.

Les eaux aromatisées sont des boissons additionnées de substances aromatisantes, certaines avec ajout de sucre – elles s'apparentent alors plus à des sodas non gazeux.

Pas facile de faire un choix et de ne pas se laisser influencer par la pub dans la jungle du supermarché. Repérez ce qui est bon pour vous, au goût et pour votre organisme. Les eaux les plus riches en sels minéraux sont : Contrexeville, Hépar, Courmayeur, Talians. La moins minéralisée est l'eau de Volvic. Certaines eaux ont un effet laxatif, dû à leur richesse en magnésium et en sulfate : Hépar, Contrex et Talians. Dans la catégorie « riche en calcium » : Courmayeur, Contrex, Taillefine, Vittel, Hépar et Talians. Notez que, pour les paresseuses, les eaux riches en magnésium sont une bonne alternative au chocolat dont la richesse en cette substance est si célébrée !

Notez aussi que les eaux gazeuses sont souvent plus riches en sodium que les plates (pas génial si vous voulez réduire le sel) et en bicarbonate, qui facilite la digestion.

EAU DU ROBINET OU EAU EN BOUTEILLE ?

Il y a *grosso modo* deux catégories d'eaux : l'eau provenant de la distribution publique, qui est soigneusement réglementée puisque l'appellation « eau potable » est accordée selon des critères chimiques et biologiques sévères ; et les eaux embouteillées, qui sont aussi des produits relativement purs, subissant de faibles manipulations – de plus, elles sont pasteurisées et possèdent une excellente qualité bactériologique.

Qu'est-ce que la rétention d'eau ?

La rétention d'eau, typiquement féminine, est due 1) aux hormones, responsables de ces mouvements rapides d'eau dans le corps au cours du cycle, notamment 2) à une arrivée massive d'œstrogènes avant les règles, et 3) à la présence excessive d'ions et de sodium dans la cellule, provoquant un appel d'eau – d'où les divers gonflements.

Ces « kilos d'eau » sont heureusement très éphémères (même s'ils sont bien réels sur la balance qui peut subitement afficher une prise de poids de 1 à 3 kg en l'espace de 48 heures !) et disparaissent le plus souvent en quelques jours avec l'arrivée des règles.

La rétention d'eau est d'origine hormonale, dont la plus fameuse manifestation est celle du syndrome prémenstruel. Avec son cortège de symptômes physiques rencontrés par une femme sur deux : seins qui enflent et deviennent douloureux, ventre « ballonné » (impression d'être « enceinte de 4 mois » !), congestion du corps, cuisses et fesses infiltrées d'eau, œdèmes (au niveau des chevilles, des mains ou du visage), jambes lourdes...

5 RAISONS DE BOIRE DAVANTAGE

1. Plus vous buvez, plus vous drainez votre corps, plus vous éliminez de toxines, bref : plus vous vous faites une belle peau ! En plus, l'eau n'est pas calorique !
2. Buvez régulièrement pour éviter d'avoir soif ! Cette sensation est déjà synonyme d'une ébauche de déshydratation. Pourquoi mettre votre corps à l'épreuve ?
3. Boire permet de réguler la température et d'éviter les petites baisses de forme, avant même de parler de « coup de chaleur ».
4. Variez les plaisirs : eau minérale plate, eau gazeuse, eau du robinet, thé, potage... Il existe mille façons de s'hydrater.
5. Pour aider vos reins, qui filtrent sans répit votre organisme de ses impuretés, et aussi prévenir l'arrivée d'infections urinaires ou la formation de calculs.

VINGT FAÇONS DE BOIRE SANS VOUS FAIRE DE MAL

1. Adoptez...

... pour règle de vie de boire de l'eau régulièrement, avant de tendre la main vers des trucs sucrés ou des boissons alcoolisées.

2. Hydratez-vous

N'attendez pas d'avoir soif pour attraper la bouteille d'eau : c'est le signe que votre organisme est déjà déshydraté.

3. Évitez les pièges

Dommage d'anéantir vos bonnes résolutions en une soirée. À l'apéritif, troquez votre verre de whisky (250 Kcal) contre 1 jus de tomate, 1 Perrier ou même 1 verre de vin rouge.

4. Ayez le réflexe de la carafe

Attendre au restaurant, c'est souvent fatal pour la ligne. Affamée, on se jette sur le pain et l'on engrange des calories avant même de commencer le repas. Ayez plutôt le réflexe « carafe d'eau ». Buvez lentement quelques verres qui vous feront patienter tout en freinant votre appétit.

5. Ayez la main légère avec le sel

Pas de chance... pour les naufragés : l'eau salée ne désaltère pas ! C'est même une concentration excessive de sel qui déclenche votre pépie. Oubliez donc la salière, vous serez moins gonflée et votre cellulite pourrait même diminuer !

6. Misez sur l'eau

La sportive occasionnelle que vous êtes ne doit boire que de l'eau avant de s'entraîner. Les jus de fruits sont trop sucrés, ils demeurent longtemps dans l'estomac et ne réhydratent pas aussi efficacement que l'eau.

7. Modérez-vous

Ne buvez pas d'alcool tous les jours. D'abord, c'est mauvais pour votre ligne et, ensuite, qui sait si vous n'allez pas finir par vous remonter systématiquement le moral avec un petit verre et devenir dépendante.

8. Essayez...

... les eaux aromatisées (fraise, citron vert, menthe, etc.), pour vous réconcilier avec la bouteille si vous n'aimez pas boire beaucoup.

9. Ne substituez pas...

... un apéritif classique par un apéritif ou autre boisson dits « sans alcool », sous prétexte de consommer moins de calories. Vous seriez bernée car ces boissons renferment énormément de sucre et sont des bombes caloriques.

10. Ne compensez pas...

... votre consommation d'alcool en buvant des litres de thé. Le thé contient non pas da la « théine » mais de la caféine ! Il est donc aussi excitant que le café. Vous pouvez cependant en boire avec modération : il contient des polyphénols aux vertus protectrices et il vous coupera l'appétit tout en vous permettant de boire plus qu'à l'habitude.

11. Méfiez-vous...

... des alcools au goût sucré, genre liquoreux, pour la simple raison qu'ils contiennent des quantités plus ou moins grandes de sucre dont le montant ne figure pas sur les étiquettes.

12. Ne cumulez jamais...

... un apéritif et un repas bien arrosé. Le bon repas avec 1 ou 2 verres de vin, c'est toujours mieux que de s'enivrer dès le début de la soirée et ne plus contrôler ni son appétit ni ses réactions émotionnelles.

13. Faites l'impasse...

... sur les alcools forts, les apéritifs ou les digestifs qui titrent allègrement 40° ou 42° d'alcool. Un bon calvados, cognac ou armagnac, exceptionnellement, par curiosité intellectuelle, sinon une bonne tisane après le dîner !

14. Ne vous soufflez pas...

... à la bière. En dehors de son degré d'alcool, la bière est riche en sucre et l'association des deux n'est pas vraiment favorable à votre ligne !

15. Débarrassez-vous...

... de vos kilos superflus en renonçant complètement à l'alcool pendant une période donnée. Vous serez étonnée du résultat : non seulement vous « dégonflerez », mais votre peau sera radieuse.

16. Achetez-vous un Alcotest

Pour ne prendre aucun risque si vous devez rentrer en voiture d'un dîner ou d'une soirée, achetez un test en pharmacie. Et au cas où vous dépasseriez les 0,5 g/l d'alcool autorisés, rentrez en taxi, à pied, ou demandez à quelqu'un de vous raccompagner.

17. Visitez...

... le Bordelais, la Bourgogne, les Côtes-du-Rhône, la région de Sancerre et les multiples régions méditerranéennes qui produisent des petits vins de pays. C'est sympa d'avoir de bonnes adresses de producteurs pour commander directement son vin, intéressant de savoir comment il se fabrique et excitant de le déguster *in situ* !

18. Devenez...

... œnologue ! Inscrivez-vous à un club ou potassez un des nombreux guides sur les vins. En plus de votre enrichissement personnel, c'est quand même bien agréable de connaître et de reconnaître ce que vous buvez !

19. N'achetez…

… que du bon vin. Une bonne façon de boire moins puisque votre bourse va en pâtir.

20. Buvez…

… à votre santé ! Votre petit verre de vin est parfaitement légitime… mais ce n'est pas une raison pour en abuser !

chapitre 7

Comment arrêter de fumer une fois pour toutes

Pourrez-vous lui dire adieu ?

Dur, on vous l'accorde, mais pas impossible. Vous paniquez à l'idée d'arrêter ? Vous avez déjà essayé et rechuté ? Eh bien, vous avez appris des choses, non ? Cette fois vous avez encore plus de chances que ce soit la bonne !

Car il n'est pas facile d'arrêter de fumer ! Il va vous falloir renoncer à une habitude quotidienne solidement installée et changer de comportement. Peut-être que vous n'y pensez pas vraiment, que vous vous trouvez bien comme vous êtes ? Vous n'avez pas envie de renoncer aux plaisirs du tabac ? Eh bien, votre quiétude risque d'être de courte durée car, un de ces quatre matins, inévitablement, vous commencerez à vous poser des questions, à peser le pour et le contre et à vous dire : « Il faudra bien que j'arrête un jour ! » Espérons que vous vous déciderez et lirez attentivement ce chapitre pour vous informer sur les différentes méthodes, vous préparer et vous fixer une date d'arrêt. Et que, enfin, vous passerez à l'action, la vraie, pas une bonne résolution de plus !

Le test de Fagerström

Il s'agit d'un test qui va vous permettre d'évaluer votre dépendance physique au tabac. Soyez honnête : c'est seulement entre vous et… vous !

1 – Le matin, combien de temps après votre réveil allumez-vous votre première cigarette ?

- ☐ Dans les 5 minutes 3
- ☐ Entre 6 et 30 minutes 2
- ☐ Entre 31 et 60 minutes 1
- ☐ Après 1 heure ou plus 0

2 – Trouvez-vous qu'il est difficile de vous abstenir de fumer dans les endroits où c'est interdit ?

☐ Oui	1
☐ Non	0

3 – À quelle cigarette renonceriez-vous le plus difficilement ?

☐ La première de la journée	1
☐ Une autre	0

4 – Combien de cigarettes fumez-vous par jour en moyenne ?

☐ 10 ou moins	0
☐ De 11 à 20	1
☐ De 21 à 30	2
☐ Plus de 30	3

5 – Fumez-vous à intervalles plus rapprochés durant les premières heures de la matinée que durant le reste de la journée ?

☐ Oui	1
☐ Non	0

6 – Fumez-vous lorsque vous êtes malade ?

☐ Oui	1
☐ Non	0

(*NdA* : ce test a été validé par l'ensemble de la communauté scientifique au niveau international.)

Additionnez le total des points correspondant à vos réponses :

Si vous avez entre 0 et 2 : vous n'êtes pas dépendante.

Si vous avez entre 3 et 4 : vous avez une dépendance faible.

Si vous avez entre 4 et 6 : vous avez une dépendance moyenne.

Si vous avez entre 7 et 10 : vous êtes très dépendante.

Si votre score est supérieur ou égal à 5, vous aurez vraisemblablement besoin d'utiliser un traitement de substitution nicotinique (voir plus loin dans le chapitre).

Les mauvaises excuses des paresseuses

1. « Fumer est un plaisir »

C'est bien parce que fumer est un plaisir qu'autant de personnes fument ! La cigarette est conviviale, et pour cause : il y a dans votre cerveau des cellules qui captent la nicotine. Lorsqu'elles sont activées, elles génèrent des sensations de bien-être. Après une bouffée de cigarette, la nicotine se fixe sur les récepteurs et provoque du plaisir en seulement 7 secondes !

2. « Fumer me détend »

Cette impression est due à l'effet de la nicotine sur le cerveau : la tension que vous ressentez avant de fumer et qui est soulagée par la cigarette est principalement en relation avec le manque de nicotine. Après quelques semaines d'arrêt, les anciens fumeurs ressentent un sentiment d'apaisement, ils n'ont plus de sensation de manque, ni de frustration.

3. « Je ne fume que des cigarettes légères »

Les cigarettes légères ont été créées pour laisser croire qu'elles pourraient diminuer la quantité de produits toxiques inhalés par les fumeurs. Mais en vérité, elles restent très dangereuses ; c'est pourquoi, dans les pays de l'Union européenne, la mention « cigarettes légères » est interdite. De plus, si vous passez aux légères, vous modifierez automatiquement votre façon de fumer pour absorber la même quantité de nicotine qu'auparavant puisque votre organisme ressentira toujours le même besoin. Et enfin, les recherches récentes montrent que les cigarettes légères entraînent des formes nouvelles et plus dangereuses de cancer !

4. « Il y a tellement longtemps que je fume, ça ne sert à rien d'arrêter maintenant ! »

Il n'est jamais trop tard pour arrêter, même si vous fumez beaucoup et depuis longtemps. Le risque de développer une maladie grave s'atténue après l'arrêt, pour atteindre progressivement le niveau de celui des non-fumeurs.

5. « J'ai peur de grossir »

La prise de poids à l'arrêt du tabac est une réalité, mais elle est souvent modérée ou nulle (un tiers des fumeurs ne prennent pas de poids). Si vous prenez un peu de poids, celui que vous atteindrez alors sera en réalité très proche du poids que vous auriez fait si vous ne fumiez pas. Et puis, il est toujours possible de ne pas grossir : lisez la suite du chapitre.

6. « J'ai peur d'être nerveuse et irritable »

La nervosité, les difficultés de concentration, l'anxiété sont des signes du manque de nicotine. Ces sensations n'existent donc que pendant la période du sevrage, c'est-à-dire peu de temps. Et puis, les traitements de substitution nicotinique permettent de compenser ce manque et de supprimer progressivement la dépendance.

7. « J'ai fait plusieurs tentatives et à chaque fois je craque »

Eh bien, vous avez au moins réussi à vivre sans tabac quelque temps ! Cela prouve que vous pouvez vivre sans fumer ! Ne vous découragez pas, beaucoup d'anciens fumeurs ont fait plusieurs tentatives avant de réussir. Si vous avez repris, ce n'est pas par manque de volonté, mais plus vraisemblablement par manque de méthode ou de soutien. Il est important que vous réfléchissiez à ce qui s'est passé et que vous en tiriez les enseignements.

Les bonnes excuses des paresseuses

Tout le monde croit et répète que, pour s'arrêter de fumer, « il faut de la volonté ». Cette erreur est la cause de beaucoup d'échecs. Il faut absolument comprendre pourquoi s'arrêter de fumer n'est pas une affaire de volonté.

1. Il n'y a aucun rapport entre le caractère d'un fumeur et le succès de l'arrêt

Des personnes très énergiques et efficaces dans la vie n'y arrivent pas, quand d'autres sur le succès desquelles on n'aurait pas misé un sou y arrivent apparemment sans peine.

2. Les grandes décisions qui demandent un gros effort de volonté aboutissent rarement à l'arrêt

Au contraire, les fumeurs qui réussissent sont souvent surpris par la facilité avec laquelle ils y sont arrivés. Tout se passe comme si s'arrêter était l'aboutissement d'un lent mûrissement intérieur, et ce lent cheminement commence dès le jour où vous vous dites que vous fumez trop. Vous essayez bien de vous contrôler, mais vous vous rendez compte que c'est impossible. Vous changez de marque de cigarettes, vous passez aux légères, aux cigarettes roulées, aux cigarillos et même vous vous arrêtez « pour vous désintoxiquer », mais hélas vous reprenez de plus belle ! Vous prenez de fermes résolutions qui ne tiennent pas la route, avec toujours ce rêve du fumeur : pouvoir contrôler l'incontrôlable. Jusqu'au jour où, sous un prétexte parfois futile, une goutte d'eau fait déborder le vase et vous vous arrêtez. Non pas volontairement comme on le croit, mais automatiquement.

Car fumer est un acte automatique, comme respirer, et l'on ne peut lutter contre un automatisme par la volonté.

3. Si vous ne vous sentez pas prête à arrêter maintenant...

... c'est qu'il est possible que ce ne soit pas le meilleur moment pour vous. Ne vous précipitez pas ! Ne prenez pas cette décision à la légère ! Et sachez que l'arrêt du tabac n'est pas une épreuve insurmontable mais qu'il faut s'y préparer convenablement, accepter l'idée que ça ne se fait pas du jour au lendemain et recourir à des méthodes sérieuses et adaptées à votre cas.

La motivation des paresseuses

Si vous voulez arrêter uniquement parce que vous avez peur pour votre santé, gageons que cela risque de ne pas être une motivation suffisante. Inconsciemment vous vous dites qu'après tout le cancer du poumon est loin et que les maladies cardiaques c'est pour les vieux ! En êtes-vous bien sûre ?

Vous n'êtes jamais essoufflée, vous ne toussez jamais après avoir trop fumé ? Vous ne vous en voulez pas de donner le mauvais exemple à vos enfants, vous voulez continuer à les enfumer ? Il ne s'agit pas de vous faire porter un sentiment de culpabilité, qui ne ferait que vous pousser à la provocation. C'est juste pour vous aider à trouver la motivation qu'il faut. Vous pouvez aussi penser que vous êtes dépendante, esclave, vache à lait des fabricants de cigarettes et que vous avez envie de vous libérer. Vous pouvez calculer les sommes astronomiques que l'État prélève dans votre budget via le tabac en sus de vos impôts et avec votre complicité ! Tout est bon à prendre pour vous donner le sentiment intime que le succès est à votre portée.

La stratégie des paresseuses

Arrêter de fumer relève plus d'une stratégie que n'importe qui peut appliquer que d'une force particulière de caractère réservée à d'heureuses élues. Car arrêter de fumer, ce n'est pas simplement se sevrer des produits chimiques et de la nicotine que contient la cigarette – d'ailleurs, après 3 jours, il n'y a plus trace de nicotine et de ses dérivés dans l'organisme. L'essentiel est donc d'apprendre à vivre sans tabac dans des situations associées à la cigarette. On ne recommence pas à fumer après 1, voire 10 ans d'arrêt par manque de nicotine, mais par nostalgie, parce que l'on se trouve avec des gens où dans des lieux où l'on fumait, dans des situations psychologiques ou affectives où l'on fumait, face à des problèmes que l'on réglait en fumant.

Une période de mûrissement de votre décision est donc une période nécessaire qui s'apparente à un apprentissage. Si vous fumez régulièrement tous les jours, vous finirez par admettre la réalité de votre dépendance et renoncerez au rêve de fumer raisonnablement, c'est-à-dire une bonne cigarette de temps en temps. Êtes-vous mûre, prête à sauter le pas ? La seule façon d'en avoir le cœur net, c'est encore d'essayer ! Faites une véritable tentative d'arrêt, en vous fixant un but limité : par exemple,

24 heures. Si vous n'êtes pas mûre, eh bien, vous aurez repris une cigarette au bout de quelques heures. Rien de grave, ne culpabilisez surtout pas ! Réfléchissez aux raisons de votre échec et refaites un nouvel essai après quelque temps.

Si vous tenez 24 heures, c'est que vous êtes diablement mûre, et d'ailleurs une petite voix intérieure est là pour vous dire : « Et si j'essayais encore 24 heures ? » Cette petite voix n'est pas la voix de la volonté, c'est celle de la confiance en vous, de la maturité. Vous essayez donc encore 24 heures, puis encore 24 heures… C'est déjà une belle victoire, mais tous les pièges ne sont pas déjoués car c'est alors qu'intervient la phase d'apprentissage actif. Il vous faut maintenant affronter le manque d'un geste que vous avez répété tellement souvent qu'il est devenu automatique. Si, par exemple, vous souffrez du manque de cigarette lorsque arrive le café après le déjeuner, si vous vous apitoyez sur vous-même, si vous vous lamentez parce que vous êtes privée de l'un de vos plaisirs favoris, vous êtes perdue.

Par contre, si vous vous dites : « Je suis dans une situation à risques mais il faut que j'apprenne à la vivre sans tabac » ou encore « C'est dur, mais je vais m'y habituer, bientôt je ne ressentirai plus le manque, je n'aurai plus le réflexe de vouloir une cigarette et je pourrai jouir pleinement de ce moment de détente », vous aurez d'emblée une attitude active de conquête de votre liberté, et non une attitude de victime passive – ce qui change tout ! Et comme vous allez vivre ce genre de situation plus d'une fois, vous acquerrez rapidement un nouvel automatisme : celui de ne plus considérer que, pour jouir de la vie, il est indispensable de fumer !

Biographie de l'empoisonneuse

Vous l'avez constaté si vous êtes une paresseuse accro, la cigarette crée une dépendance très forte, à cause de la nicotine, une substance qui se retrouve naturellement dans la plante appelée « tabac ». D'ailleurs, le tabac est la seule plante au monde contenant de la nicotine. Et la nicotine est une drogue redoutable, qui agit sur le corps et l'esprit de façon très subtile. Elle produit un effet agréable sur le cerveau (par la production de dopamine) sans perturber le comportement (vous n'êtes pas euphorique, dépressive ou somnolente, et vous n'avez pas d'hallucinations ; vous restez normale). Mais... comme les drogues dures, la nicotine entraîne l'accoutumance : vous devez en prendre régulièrement et toujours un peu plus pour ressentir le même effet et le manque se fait cruellement sentir lorsque vous n'en prenez pas. Et si les symptômes de sevrage tabagique ne sont pas aussi dramatiques que ceux causés par la désintoxication à l'héroïne ou à la cocaïne, l'emprise de la nicotine entraîne une dépendance au moins aussi forte !

La dépendance physique

Depuis des années, vous nourrissez votre organisme de cette puissante drogue. Chaque bouffée de nicotine provoque une stimulation du cerveau en moins de 10 secondes ! C'est la façon la plus rapide d'envoyer une drogue au cerveau, qui réagit immédiatement en produisant des substances (des endorphines, dont la dopamine) qui provoquent votre bien-être. Normalement votre cerveau produit et gère lui-même ces hormones du bien-être quand vous faites ce que vous aimez ou quand vous vivez des situations plaisantes : quand vous pratiquez une activité physique ; quand vous jouez d'un instrument ou écoutez de la musique ; quand vous réalisez quelque chose dont vous êtes fière ; quand vous vous amusez ; quand vous recevez des compliments ; quand vous riez ; quand vous êtes amoureuse… etc. (dans les deux derniers cas, votre cerveau produit beaucoup d'endorphines).

C'est normal, vous cherchez à répéter ces expériences qui vous procurent du plaisir. La cigarette en fait partie puisqu'elle vous fait produire les mêmes hormones du bien-être. Le problème, c'est que votre plaisir est désormais intimement lié à la nicotine. Vous apprenez à votre cerveau à produire et à gérer ses endorphines principalement à l'aide de la nicotine, et c'est elle dont vous allez dépendre pour vous sentir bien.

La dépendance psychologique

En plus de la dépendance physique, la nicotine et le tabagisme entraînent une dépendance psychologique très puissante.

Pourquoi ? Comment ? À chaque cigarette, vous inhalez en moyenne 10 à 12 bouffées, c'est-à-dire que vous vous injectez une dizaine de fois la drogue qui contribue à votre bien-être. Chacune de ces bouffées sera associée positivement par votre cerveau à l'événement ou à la situation que vous vivrez à ce moment-là. Peu importe que vous ayez du plaisir, que vous vous ennuyiez, que vous soyez stressée, que vous ayez de la peine ou que vous soyez en colère : vous comptez sur la cigarette pour vous aider à vous sentir mieux. Donc, en plus d'avoir rendu votre cerveau dépendant physiquement d'une drogue extérieure, vous l'avez programmé à associer la cigarette à toutes les situations que vous vivez. C'est pour cette raison que les grands fumeurs parlent de la cigarette comme d'une amie. Plutôt triste, non ?

Vous comprenez sûrement mieux maintenant pourquoi il est si difficile de se libérer de cette dépendance et pourquoi il faut se préparer pour mettre toutes les chances de votre côté. Les statistiques sont impitoyables : il n'y a qu'une toute petite minorité de chanceux (moins de 10 %) qui réussissent à arrêter de fumer d'un coup et sans aucune aide et sont encore non fumeurs après 1 an. Tous les autres fumeurs (plus de 90 %) qui ont essayé de cesser de fumer de la même manière ont recommencé en moins de 1 an.

Il faut donc y réfléchir mais pas éternellement, car plus vous attendez avant de vous décider d'arrêter de fumer, plus vous risquez que cela soit difficile et long avant de réussir. En moyenne, cinq à six tentatives pouvant s'échelonner sur une vingtaine d'années peuvent s'avérer nécessaires avant d'arrêter de fumer pour de bon. C'est un parcours du combattant mais ne renoncez pas à arrêter de gérer votre vie avec une béquille. Une béquille qui vous accompagne dans toutes les situations de votre vie, mais qui réduit cette dernière et sa qualité en vous empoisonnant à petit feu. C'est cher payer, non ? Pensez-vous vraiment être incapable d'affronter ces situations sans ce rouleau de papier bourré de petits morceaux de plante ? La majorité des gens ne fument pas et pourtant eux aussi vivent des choses difficiles, sont déprimés ou s'ennuient. Alors... plus vite vous décidez de passer à l'action, meilleures seront vos chances de réapprendre à respirer sans béquille.

CIGARETTE *KILLER*

Des chercheurs de l'INSERM viennent de mettre en évidence l'effet nocif de la nicotine sur les neurones. Car la nicotine aime bien les neurones ! Elle mange du système nerveux central avec plaisir et à tous les repas et les mécanismes de mémorisation et d'apprentissage s'en trouvent diminués. Cette découverte est basée sur l'observation de cerveaux de rats de laboratoire (plus exactement la zone du cerveau responsable de la production de nouveaux neurones et qui intervient aussi dans les processus de mémorisation et d'apprentissage) que les chercheurs ont rendus gros fumeurs. Cette expérience a révélé que la destruction des neurones augmentait en fonction de la dose de nicotine. De plus, la production de nouvelles cellules est aussi ralentie. Donc, si vous avez l'habitude de vous en griller une devant votre bureau histoire de bien vous concentrer, c'est raté !

Il n'est jamais trop tard pour arrêter

Haut les cœurs ! Il n'est jamais trop tard pour arrêter puisqu'une cigarette, c'est 11 minutes de vie en moins !

Une étude a été effectuée en Angleterre sur 34 000 médecins hommes fumeurs et non fumeurs. Les chiffres parlent d'eux-mêmes : le taux de mortalité des fumeurs est trois fois plus élevé que celui des non-fumeurs chez les 45-64 ans et deux fois plus élevé chez les 65-84 ans. En ajustant les chiffres par groupe d'âges, on obtient une différence d'espérance de vie de 6,5 ans entre fumeurs et non-fumeurs, plus de 3 millions de minutes ! Sachant qu'un consommateur moyen fume 16 cigarettes par jour tout au long de sa vie (entre 17 et 71 ans), on peut affirmer que chaque cigarette fumée « retire » 11 minutes de vie ! Un calcul assez approximatif peut-être, mais qui exprime parfaitement les dangers de la cigarette. Et puis, imaginez ce que vous pouvez faire d'agréable en 3 heures 40 – l'équivalent d'un paquet de cigarettes !

Respirez la vie à pleins poumons

Les bénéfices de l'arrêt du tabac sont presque immédiats et impressionnants. Jugez plutôt...

- 20 minutes après votre dernière cigarette, votre rythme cardiaque redevient normal.
- 8 heures après, la quantité de nicotine et de monoxyde de carbone diminue de moitié. Vos cellules sont mieux oxygénées.
- 24 heures après, vos poumons commencent à éliminer des résidus de fumée.
- 48 heures après, votre corps a éliminé la nicotine qui le polluait. Votre odorat et votre goût s'améliorent.

- 72 heures après, vous respirez mieux, vos bronches se dilatent.
- 2 à 3 semaines après, vos résultats sportifs s'améliorent, vous vous essoufflez déjà moins vite. La fatigue et la toux diminuent.
- 1 mois après, votre toux s'apaise. Votre voix devient plus claire.
- 1 à 9 mois après, vos cils bronchiques repoussent. Vous êtes de moins en moins essoufflée.
- 1 an après, le risque d'infarctus du myocarde diminue de moitié. Le risque d'accident vasculaire cérébral rejoint celui d'un non-fumeur.
- 5 ans après, le risque de cancer du poumon diminue presque de moitié.
- 10 à 15 ans après, votre espérance de vie redevient identique à celle des personnes n'ayant jamais fumé.

Retrouvez vos sensations

Et si vous ne pouviez plus apprécier l'odeur d'un bon poulet rôti, celle du gazon fraîchement tondu ou les effluves de votre parfum ? Eh bien, la vie aurait beaucoup moins de saveur. En effet, le goût passe par le nez ; les papilles situées sur la langue et au fond de la gorge ne peuvent percevoir que le sucré, le salé, l'aigre, l'amer et l'umami (une composante du goût identifiée récemment, associée au gluten). Les autres sensations associées aux aliments – la saveur, le parfum, la texture – proviennent de l'odorat.

C'est pourquoi un fumeur (ou fumeuse) ne se nourrit pas de la même façon qu'un non-fumeur. La paresseuse qui fume consomme beaucoup de viande et apprécie les charcuteries. À cause de son manque de sensibilité olfactive, elle préfère en général les plats en sauce et ajoute volontiers du sel pour exalter les saveurs. Elle mange peu de légumes et de fruits, qu'elle trouve souvent insipides. La paresseuse fumeuse a donc un régime alimentaire pauvre en fibres et en micronutriments utiles (vitamines, minéraux et phytoconstituants protecteurs). Ce comportement favorise bien sûr la prise de poids et expliquerait en partie la prévalence des maladies cardio-vasculaires. De plus, la pauvreté de ce régime « fumeur » en antioxydants favoriserait également certains cancers.

10 bonnes raisons pour arrêter de fumer

1. Pour ne plus être dépendante

La cigarette vous rend esclave et pourtant… La dépendance à la nicotine s'installe plus vite que la dépendance aux autres drogues et elle est la plus difficile à perdre. Cette dépendance est une vraie maladie, reconnue comme telle.

2. Pour ne pas nuire à votre santé

Les risques liés au tabac sont graves et beaucoup plus nombreux que les mentions inscrites sur les paquets de cigarettes : maladies cardiovasculaires, cancers, maladies respiratoires, mais aussi impuissance, baisse de la fertilité, troubles de la mémoire, vieillissement de la peau… !

3. Pour ne pas nuire à votre entourage

La fumée que vous émettez dans l'atmosphère est quantitativement plus importante que celle que vous absorbez directement. Elle est également plus riche en nicotine, en substances cancérigènes et en oxyde de carbone.

4. Pour ne pas intoxiquer votre bébé

Le tabagisme présente des effets nocifs à la fois pour la femme enceinte et pour son fœtus : risques de fausse couche, d'accouchement prématuré, de placenta *praevia*, de diminution de la croissance, d'enfant mort-né, de mort subite du nourrisson… !

5. Pour apaiser votre toux

On vous repère de loin, car si vous fumez au moins un paquet, vous toussez forcément. Pas vraiment sexy !

6. Pour vous sentir mieux

C'est un cercle vicieux : vous allumez une clope pour vous réveiller mais en réalité votre organisme est miné par la nicotine et autres substances maléfiques.

7. Pour redécouvrir le goût et l'odorat

Et ne plus trop saler vos plats ou n'apprécier que les plats en sauce. Votre silhouette vous dira merci.

8. Pour retrouver une meilleure mine

Le tabac vous donne une mine grise du plus mauvais effet !

9. Pour ne plus sentir le tabac...

... froid sur vos cheveux et sur vos vêtements. Un vrai remède à l'amour !

10. Pour faire des économies !

Vous avez déjà calculé le coût de votre tabagisme ? Eh bien, la consommation de 10 cigarettes par jour revient environ à 75 euros par mois – ce qui équivaut à près de 8 places de cinéma, 4 ou 5 CD dans le mois ! Fumer un paquet par jour vous coûtera plus de 100 000 euros dans votre vie ! Imaginez une seconde ce que vous pourriez faire avec cet argent si vous l'économisiez au lieu de fumer !

UNE BEAUTÉ QUI PART EN FUMÉE

Le tabac nuit au charme féminin et fane la beauté. Les dégâts esthétiques du tabac se manifestent notamment à plusieurs niveaux :

- la peau vieillie prématurément, elle se ride plus facilement, elle est défraîchie et desséchée ;
- les doigts et les ongles prennent une coloration jaunie ;
- les cheveux sont plus fragiles et cassants ;
- les yeux sont rouges, larmoyants, avec gonflement des paupières ;
- les dents sont jaunies et l'haleine pas fraîche ;
- la voix est souvent éraillée et plus grave.

Choisissez la méthode qui vous convient

Cette fois, plus d'hésitations possibles ! Vous êtes décidée à en finir définitivement avec la cigarette. Substituts nicotiniques, hypnose, médicaments, acupuncture... Quelles sont les méthodes les plus efficaces ?

L'inhaleur

L'inhaleur se compose d'un embout avec une cartouche qui ressemble à un porte-cigarette et délivre de la nicotine sous forme d'inhalations buccales. En cas d'envie de fumer, on inhale une bouffée qui fournit environ 5 mg de nicotine.

L'avantage de l'inhaleur est non seulement de soulager les symptômes de manque en rapport avec l'absence de nicotine, mais aussi d'agir sur la gestuelle en mimant l'acte de fumer. Il peut, comme les gommes et les comprimés sublinguaux ou à sucer, être utilisé en complément d'un timbre.

Par contre, les concentrations sanguines de nicotine sont plus lentes à obtenir que lorsqu'on fume une cigarette et le fumeur doit donc attendre un moment pour que son envie de fumer disparaisse.

Les cigarettes sans tabac

Ces cigarettes aux plantes sont dénuées de tabac et donc de nicotine. Elles sont censées aider le fumeur en constituant une solution de remplacement à la consommation de cigarettes classiques. Mais les tabacologues sont totalement opposés à ces cigarettes et en ont d'ailleurs demandé l'interdiction de commercialisation dans certains pays européens. Le fumeur tend en effet à inhaler très fortement la fumée de ces cigarettes. Or, cette dernière contient des quantités importantes de substances cancérigènes et de monoxyde de carbone, dangereux pour le cœur.

Les gommes à la nicotine

Ces gommes à mâcher permettent de diminuer la quantité de cigarettes fumées. La mastication remplace le geste de fumer et la nicotine est absorbée par la muqueuse buccale et non par les poumons. La posologie dépend évidemment du nombre de cigarettes inhalées quotidiennement, elle est au maximum de 6, 8 voire 10 gommes par jour. Il faut de plus, dans un second temps, se désintoxiquer de la nicotine, en l'occurrence du chewing-gum (au goût parfois désagréable).

Les gommes à la nicotine sont délivrées en pharmacie et ne sont pas remboursées par la Sécurité sociale mais elles ne reviennent en général pas plus cher que les cigarettes.

Le timbre à la nicotine

La nicotine est diffusée dans le sang à petites doses par la peau, tant que vous portez le timbre, plutôt que d'être inhalée. On applique chaque jour un timbre ou patch sur la peau, qui diffuse la nicotine dans le sang de façon à supprimer l'effet de manque. Le timbre existe en trois dosages différents selon votre degré de dépendance. La durée du traitement est variable, jusqu'à 3 mois. Généralement on commence par 30 cm^3 si l'on fume plus de

20 cigarettes par jour ou 20 cm^3 pour moins de 20 cigarettes. Il est indispensable de ne pas fumer quand vous portez un patch, sinon vous pouvez être sujette à des palpitations, des vertiges ou des nausées. Le patch a l'avantage d'être discret, mais celles qui ont une dépendance comportementale à la cigarette devront de toute façon trouver un dérivatif au geste de fumer.

Les patchs sont disponibles en pharmacie, sans ordonnance (mais un avis médical est conseillé) ; ils ne sont pas remboursés par la Sécurité sociale.

Le Zyban®

Le Zyban® (bupropion) est un médicament qui facilite le sevrage tabagique en agissant sur certains neuromédiateurs cérébraux comme les catécholamines, la noradrénaline et la dopamine. Ce médicament, qui est également commercialisé depuis 1989 aux États-Unis pour ses propriétés antidépressives, permet de diminuer certains symptômes associés au sevrage comme l'envie de fumer et les difficultés de concentration.

L'efficacité du Zyban® est équivalente à celle obtenue avec des timbres nicotiniques (taux de sevrage autour de 20 %). Il agit sur la composante psychique de la dépendance au tabac et facilite le sevrage tabagique par un mécanisme différent des substituts nicotiniques. Le Zyban® est cher et nécessite une prescription médicale sans être pour autant remboursé. Il peut entraîner une sensation de bouche sèche, d'insomnies et de vertiges. Ce médicament a fait l'objet de mesures de surveillance de pharmacovigilance de la part de l'Agence française de sécurité sanitaire des produits de santé (AFSSAPS) car des décès ont été observés en Grande-Bretagne après son administration. Néanmoins, les réactions graves de ce médicament semblent être rares, lorsqu'il a été correctement prescrit et ses contre-indications respectées.

Les psychothérapies comportementales

Les techniques de psychothérapie comportementale et cognitive tentent d'aider le fumeur à se débarrasser de certains comportements, le tabagisme entre autres, en l'aidant à mieux comprendre les pensées qu'il associe à celui-ci. Ces méthodes peuvent être utilisées aussi bien en préparation du sevrage que pendant celui-ci ou pour éviter des récidives. La psychothérapie permet à l'ex-fumeur de prendre conscience de son problème. Elle participe à la prise en charge de troubles souvent associés au tabagisme comme l'anxiété et la dépression et permet d'apprécier le degré de motivation et de vérifier que le moment du sevrage est bon.

Mais comme toute psychothérapie, les effets sont longs à obtenir et le nombre de psychothérapeutes comportementalistes s'intéressant au sevrage tabagique est limité en France.

L'acupuncture

Technique d'origine chinoise, l'acupuncture consiste à introduire de fines aiguilles en des points précis dans les tissus ou dans les organes. Les acupuncteurs considèrent que les piqûres diminuent l'envie de fumer en activant les réseaux d'énergie.

Les experts du ministère de la Santé considèrent que l'acupuncture n'a pas fait la preuve de son efficacité dans le sevrage tabagique et que les effets obtenus ne diffèrent pas de ceux d'un placebo. Néanmoins, de nombreux anciens fumeurs sont convaincus que cette méthode leur a apporté une aide précieuse. C'est pourquoi l'acupuncture peut être utilisée, à condition que le fumeur y croie et qu'il bénéficie, par ailleurs, d'un soutien psychologique et de l'accompagnement d'un médecin. De plus, l'acupuncture peut être associée à d'autres techniques de sevrage plus classiques, mais l'efficacité n'est pas suffisante chez les fumeurs fortement dépendants à la nicotine, qui ont aussi besoin d'une aide pharmacologique.

L'homéopathie

L'homéopathie repose sur l'utilisation à doses infinitésimales, obtenues grâce à des dilutions successives, de la substance provoquant les symptômes que l'on désire combattre. C'est pourquoi un extrait de *tabacum* est souvent utilisé dans le sevrage tabagique. Ses effets ne sont pas démontrés et, pour les experts du ministère de la Santé, l'utilisation d'extrait de *tabacum* ne serait justifiée que dans les allergies au tabac, lesquelles sont tout à fait exceptionnelles.

Comme les autres techniques non conventionnelles de sevrage, son efficacité n'est pas suffisante chez les gros fumeurs.

L'hypnose

L'hypnose consiste à favoriser le sommeil dans le but de déconditionner le fumeur de ses pensées profondes vis-à-vis du tabac. Elle a longtemps été considérée comme possédant une certaine efficacité dans le sevrage tabagique, même si l'on savait que certaines personnes ne répondent pas à cette technique. Les résultats des études entreprises ont cependant déçu. L'hypnose peut être associée aux autres méthodes plus classiques de sevrage car ses effets, lorsqu'ils sont constatés, seraient restreints et ne dureraient pas plus de 6 semaines.

La mésothérapie

Micro-injections en des points d'acupuncture d'un mélange de produits faiblement dosés, généralement à base de tabac associé à de la procaïne. La mésothérapie peut réduire la nervosité et éviter les insomnies. Elle provoque le dégoût du tabac. Les consultations se font dans les hôpitaux, les dispensaires, ou chez des médecins conventionnés. Elle est remboursée.

Les thérapies de groupe

Les séances sont animées par une équipe de médecins : généralement un cardiologue, un psychologue et un nutritionniste. Chaque spécialiste tente de renforcer les motivations en abordant l'aspect médical, psychologique et physiologique du sevrage. Des conseils de mode de vie, de diététique, de respiration sont prodigués. Le nombre de séances (remboursées) est de 3 à 4 par semaine pendant 2 ou 3 semaines en hôpital et dispensaire.

C'est une méthode intéressante pour celles qui ont envie de communiquer, de partager cette expérience et de se déculpabiliser.

L'auriculothérapie

On garde pendant 3 semaines un fil de nylon ou une agrafe placés au centre du pavillon de l'oreille. L'auriculothérapie supprime le besoin de fumer en irritant une zone précise correspondant à ce besoin de l'organisme. Mais elle peut provoquer irritabilité et boulimie compensatrices.

8 conseils aux paresseuses pour se passer de la clope

Que pensez-vous des différents conseils que vous entendez prodiguer autour de vous ? C'est comme tout, il y en a des bons et des moins bons et il n'y a pas de moyens infaillibles pour s'arrêter à coup sûr. Les décisions que vous allez devoir prendre en la matière vous appartiennent ; faites-vous un plan perso, expérimentez et n'écoutez pas les donneurs de leçons.

1. Préparez-vous

Arrêt brutal ou progressif ? C'est à vous de voir, mais l'arrêt progressif n'est pas pour tout le monde. Les gros fumeurs ont bien souvent plus de mal à réduire qu'à arrêter. De plus, si vous réduisez le nombre de cigarettes ou passez aux légères, vous souffrirez car votre organisme essaiera en permanence d'avoir la même quantité de nicotine. De toutes les façons, il faudra bien vous arrêter complètement à un moment ou un autre. Si vous voulez tout de même introduire un peu de progressivité, commencez à apprendre à ne pas craquer sur les cigarettes associées à des situations où il vous semble impossible de ne pas fumer. Modifiez votre comportement : par exemple, allez en fumer une dehors avant de venir prendre le café, pour ne pas être en manque, mais ne fumez plus avec les autres en la circonstance.

2. Choisissez une date

Comme il faudra bien vous arrêter un jour ou l'autre, que ce soit après une diminution progressive ou non, choisir une date pour vous arrêter est une bonne chose. Une enquête a d'ailleurs montré que les ex-fumeurs savaient parfaitement la date, voire l'heure, où ils ont senti un déclic qui les a fait basculer du côté de ceux qui ne fument plus. Essayez de ne pas choisir une date trop solennelle quand même, sinon le sentiment d'être liée par un engagement formel risque de vous être insupportable et de vous pousser à la transgression. L'essentiel est que la date ait une signification pour vous, que vous vous la rappeliez facilement et puissiez vous dire : « Tiens, ça fait 6 mois » ou bien « C'est l'anniversaire de mon arrêt ». Attention aux grandes résolutions en partant en vacances ! S'arrêter hors de son environnement naturel, c'est se priver de l'apprentissage qui consiste à ne pas fumer quand les collègues de travail ou les amis le font. Le retour de vacances risque donc d'être difficile.

3. Jetez votre paquet et votre briquet

Le geste peut faire l'objet d'un grand cérémonial, mais comme tous les grands serments, cette solennité n'est pas forcément efficace. Jeter votre attirail ne vous protégera pas : il y aura toujours quelqu'un pour vous offrir une cigarette et, comme par hasard, le bureau de tabac est en face de chez vous. D'ailleurs, certaines laissent négligemment leurs cigarettes à portée de main dans la boîte à gants de leur voiture ou au fond d'un tiroir : ça a le mérite de leur donner un sentiment de sécurité et leur évite de quémander une cigarette au cas où elles craqueraient. Bref, jeter tout ou non, c'est vous qui sentez ce que vous devez faire de votre matériel d'ex-fumeuse.

4. Prévenez votre entourage de votre décision

Ce qui suppose que l'entourage soit disposé à vous aider. Si votre conjoint est un ex-fumeur et s'il n'en rajoute pas trop dans son désir de vous voir suivre son exemple, vous pourrez sans doute compter sur lui. Mais il ne faut pas se faire d'illusions, il y a des petits amis, maris et partenaires moralisateurs et il y a des amis provocateurs. Vous êtes seule à savoir qui peut vous aider. S'arrêter de fumer est votre problème personnel, vous êtes seule à pouvoir le régler : ne vous laissez donc jamais culpabiliser par qui que ce soit.

5. N'évitez pas systématiquement les fumeurs et les lieux où l'on fume

Non, vous n'allez pas vous installer sur une île déserte, ni changer de conjoint ou d'amis sous prétexte qu'ils fument ! Vous arrêter est déjà un grand changement de vie ; s'il fallait en plus vous exclure de votre milieu familier, ce serait carrément l'exil ! Vous trouverez bien toute seule ce qui vous paraîtra réalisable en la matière. Il vous faudra de toute façon apprendre à vivre entourée de fumeurs sans succomber à la tentation. Et ce n'est pas en évitant ces situations que vous apprendrez à le faire.

6. Faites face aux assauts du désir

Le désir donne l'illusion qu'il viendra vous titiller jusqu'à la fin des siècles ou ce que mort s'ensuive, mais en fait, s'il n'est pas satisfait, il s'évanouit ! Courage : si vous pouvez lui faire face, lui résister ne serait-ce que quelques minutes, vous pourrez tenir le coup. Buvez lentement un verre d'eau ou pratiquez des respirations profondes, et dans les situations délicates, exprimez-vous. Car souvent la cigarette est l'échappatoire à une situation de blocage. On n'arrive pas à résoudre un problème, on prend une cigarette soi-disant pour réfléchir, mais en fait pour évacuer un besoin d'agir qui ne peut s'exprimer. Ces situations provoquent chez l'abstinente de fraîche date le désir de fumer mais, comme celui-ci n'exprime en fait alors qu'un besoin d'action, une foule de petits moyens qui se résument à « faire quelque chose de ses mains » peuvent être des dérivatifs temporaires efficaces.

7. Apprenez à être une « non-fumeuse »

Peut-être vaudrait-il d'ailleurs mieux dire « ex-fumeuse » car s'arrêter de fumer est un apprentissage. En effet, même si vous avez atteint le degré de maturité nécessaire pour sauter le pas, votre nouvel équilibre ne va pas se faire du jour au lendemain. Même si bientôt vous découvrirez que vous n'avez pas pensé à la clope de la matinée, il reste du pain sur la planche. Il va falloir vous débarrasser de tout un réseau de réflexes conditionnés, de rituels et d'automatismes acquis. Et vous ne vous débarrasserez de vos automatismes qu'en leur superposant d'autres automatismes, ceux d'une ex-fumeuse. C'est une démarche active et positive qui consiste à apprendre à vivre sans tabac dans toutes les situations où vous fumiez. Réunion entre amis, fête, coup de fil stressant, tenez bon et soyez sur vos gardes au cas où vos vieux démons viendraient vous titiller !

8. Choisissez de vous faire aider…

Si vous le voulez ! Il existe des professionnels de santé, médecins ou pharmaciens, qui peuvent vous prodiguer des conseils pendant les six premiers mois de votre sevrage. Vous pouvez aussi recourir à une consultation spécialisée d'aide à l'arrêt du tabac. **Tabac-info-service : 0 825 309 310** (0,15 euros/mn) et **www.tabac-info.net** vous donneront les coordonnées du centre le plus près de chez vous.

BON À SAVOIR

Il est fortement déconseillé de prendre une pilule contraceptive et de continuer à fumer.

Arrêtez de fumer sans prendre un gramme

Arrêter de fumer sans grossir, c'est possible ! Tous les fumeurs le savent, l'arrêt de la cigarette s'accompagne généralement par quelques kilos supplémentaires sur la balance… Mais ne dramatisons pas ! La prise de poids est le plus souvent modeste et peut être évitée. Un peu de sport, ou même beaucoup, une alimentation plus équilibrée et votre ligne ne devrait pas souffrir de votre bonne et ferme résolution.

Mettez tous les atouts de votre côté

La meilleure façon de contrôler votre poids et de ne pas grossir est-elle d'encrasser votre organisme avec 4 000 produits chimiques ?

Pensez à ceci… Vous n'avez pas commencé à fumer pour contrôler votre poids et ne pas grossir, vous avez commencé par curiosité, pour être avec vos ami(e)s. Puis… vous vous êtes un jour aperçue que vous étiez dépendante de la cigarette. Mais trop tard ! En devenant accro à la cigarette, vous vous êtes mise à fumer de plus en plus – ce qui a créé un impact sur votre métabolisme, votre poids s'en est trouvé affecté (un effet secondaire du tabagisme).

La nicotine affecte le poids de trois façons :

- La cigarette atténue la saveur gustative des aliments.
- La cigarette diminue la sensation de faim et votre estomac subit les dommages de la fumée de cigarette.
- La cigarette augmente légèrement le métabolisme de votre organisme ; il dépense ainsi un peu plus de calories par jour à cause de la stimulation de la nicotine sur tous vos organes.

On estime grossièrement qu'une consommation quotidienne de 20 cigarettes équivaut, en moyenne, à une dépense supplémentaire de 200 calories par jour et que le fumeur a un poids inférieur de 3 ou 4 kg à celui qu'il aurait naturellement. Ce n'est donc pas l'arrêt du tabac qui fait grossir, mais la cigarette qui permet de maintenir « artificiellement » un poids plus bas. Tout d'abord, la nicotine contenue dans le tabac a des effets pharmacologiques qui favorisent une légère perte de poids. Elle augmente les dépenses énergétiques de 6 % au repos et de 12 % à l'effort. Autrement dit, pour un même niveau d'activité, le fumeur brûle davantage de calories que le non-fumeur. Sans compter que la cigarette a également un effet « coupe-faim ». Ça peut paraître séduisant de prime abord, mais songez que les maigres kilos que vous économisez ne pèsent guère comparativement aux risques que vous prenez en fumant. Dites-vous de toutes les façons que, si fumer évitait l'obésité, ça se saurait !

Évitez les pulsions alimentaires

Il existe un danger : le syndrome de manque nicotinique provoque des pulsions qui poussent à manger, surtout du sucré. Ce comportement alimentaire de compensation peut entraîner – c'est vrai – ne prise de poids importante, surtout lorsque l'on n'a pas tendance à se dépenser physiquement. Pour éviter le phénomène de manque qui pousse à compenser, les traitements pharmacologiques de la dépendance sont bien utiles. Ils préviennent les pulsions alimentaires du début du sevrage et vous donnent le temps, quel que soit le traitement que vous choisissez, d'adopter une hygiène de vie plus saine et de ne pas vous arrondir inexorablement.

Surveillez votre poids et bougez !

La surveillance de son poids, l'analyse de ses habitudes alimentaires et les activités physiques font partie d'un sevrage bien pensé. Il est très important non seulement de bien traiter la dépendance, mais aussi de modifier son comportement alimentaire s'il est nocif et ses activités physiques, si elles sont insuffisantes. Les paresseuses qui ne font aucun sport doivent ABSOLUMENT bouger davantage.

Contrairement à ce que l'on aurait tendance à croire, l'arrêt du tabac facilite le changement d'alimentation. L'ex-fumeur retrouve en effet rapidement le goût et l'odorat, qui avaient été partiellement détruits par la cigarette. Et la paresseuse qui mettait plein de gras et rajoutait de la sauce, parce qu'elle n'avait plus de papilles, et qui trouvait pas mal de plats insipides (comme des haricots cuits à la vapeur ?) pourra de nouveau apprécier toutes les saveurs des mets.

Profitez donc de votre arrêt pour adopter un changement global de votre hygiène de vie. Quelles que soient vos motivations, si vous décidez d'arrêter de fumer, c'est que vous êtes déjà dans une stratégie de changement. C'est donc le moment de redécouvrir une vie plus saine, pour faire la peau à vos kilos !

ARRÊT DU TABAC ET PRISE DE POIDS

N'imaginez pas que de vous remettre à fumer est une bonne solution pour vous débarrasser de vos kilos. Certes, vous allez maigrir, mais pas comme il faudrait ! En effet, en cas de reprise du tabac, le poids va diminuer essentiellement au détriment de votre masse maigre « noble » (74 % de la perte de poids chez la femme) et non aux dépens de votre masse grasse.

La légèreté est dans le plat

Quand on arrête le tabac, il faut revoir son alimentation pour qu'elle soit moins calorique, sans toutefois se restreindre trop, sinon les dérapages sont inévitables. En effet, l'augmentation de l'appétit survient dès la première semaine d'arrêt du tabac et se prolonge surtout tout le premier mois. Le phénomène s'explique par le fait que, la sécrétion d'insuline n'étant plus inhibée par le tabac, la masse grasse se reconstitue à grande vitesse. Les nutriments sont drainés en grande partie vers les réserves adipeuses, la couverture des dépenses n'est plus assurée et l'ex-fumeuse, à court de carburant, a faim ! Une augmentation des apports caloriques de l'ordre de 400 à 500 Kcal par jour n'est pas rare – ce qui fait quand même 2 à 3 kg en quelques semaines !

Les troubles du comportement alimentaire cachent toujours une dépendance psychologique au tabac ; la fumeuse doit donc se débarrasser à la fois de son besoin et de son envie de fumer. Et ne pas contrer ses pulsions de tabac en se jetant sur la nourriture ! Mais rassurez-vous, rien n'est inéluctable : en adoptant un régime alimentaire adéquat et en augmentant votre activité physique, vous compenserez sans problème l'augmentation de vos besoins caloriques liée au sevrage tabagique. Voici quelques stratégies de bonne guerre pour alléger votre addition calorique :

Réduisez les graisses

En particulier les graisses saturées apportées par les charcuteries, les fromages, les viandes grasses et toutes les viennoiseries. Mais préservez un apport suffisant en protéines de bonne qualité, fournies par les viandes maigres, les poissons, les laitages allégés, pour protéger votre masse musculaire.

Privilégiez les glucides complexes et les fibres

Réintroduisez dans vos repas des aliments riches en glucides complexes et en fibres, comme le pain complet, les légumineuses, le riz complet. Ils ne provoquent pas de pic d'hyperglycémie, ni de forte sécrétion d'insuline (favorables à la constitution et la mise en réserve des graisses dans l'organisme) et sont capables de satisfaire l'appétit le plus féroce.

Faites le plein de vitamines

Il est important de vous assurer des apports suffisamment élevés en vitamine C et en bêta-carotène, de précieux antioxydants et anti-radicaux-libres dont les taux sont abaissés chez les fumeuses et les ex-fumeuses. Selon une étude canadienne, 3 verres de jus d'orange par jour pourraient augmenter de 21 % le taux de HDL ou « bon » cholestérol. Mais un conseil : évitez les jus d'orange du commerce qui sont très sucrés, prenez le temps de vous presser des oranges ou bien de les manger entières ! Sinon, consommez au moins chaque jour 1 agrume ou 1 kiwi et des légumes frais en privilégiant les plus riches en carotène et substances assimilées : carottes, chou, épinards, tomates, poivrons…

Gérez vos fringales

À l'évidence, mieux vaut éviter de craquer sur n'importe quoi et en particulier sur les pâtisseries ou les barres chocolatées. Relisez le chapitre 3 en cas de besoin !

Diminuez les excitants

Café et alcool vous mettent à cran, vous ne maîtrisez plus ni votre humeur, ni vos bonnes résolutions !

VINGT FAÇONS DE DÉCROCHER DE LA CLOPE, À TOUT JAMAIS

1. Félicitez-vous

Vous avez arrêté et chaque jour qui passe est une victoire sur le tabac. Tous les matins accordez-vous 1 minute de concentration pour vous féliciter et regonfler votre motivation.

2. Misez sur le magnésium

Les compléments nutritionnels peuvent vous aider. En particulier ceux qui contiennent du magnésium, un nutriment essentiel chez les ex-fumeurs. Il régularise les conductions neuromusculaires dont il neutralise les excès d'irritabilité (crampes), inhérents et habituels lors du sevrage tabagique.

3. Déprogrammez-vous

L'envie de fumer dure moins de 5 minutes. Donc, trouvez à chaque fois quelque chose à faire (de préférence qui vous plaise) et les envies s'espaceront de plus en plus. C'est de cette manière que vous vous déprogrammerez.

4. Choisissez…

… une date d'arrêt après vos règles : les symptômes de sevrage devraient être moins importants.

5. Récompensez-vous

Récompensez-vous régulièrement avec l'argent économisé des cigarettes. Suggestion : ouvrez un compte à part pour un voyage ou pour vous acheter un bateau, une moto, ou réaliser un rêve qui vous tient à cœur.

6. Détendez-vous

Dormez beaucoup, étirez-vous en prenant de grandes inspirations ou en bâillant, embellissez votre environnement, apprenez des techniques de relaxation.

7. Ayez des pensées positives

Si vous êtes capable de trouver des prétextes pour en fumer une, vous êtes aussi capable de trouver des excuses pour ne pas fumer... Ce sont là des pensées positives.

8. Faites-vous plaisir

Recherchez d'autres activités qui procurent aussi du plaisir et offrent de nombreuses occasions de rire comme l'improvisation, le théâtre, le cinéma, la lecture, le chant, la musique, etc.

9. Trouvez...

... quelqu'un pour vous soutenir. Ayez quelqu'un à qui parler autant quand tout va bien que lorsque c'est difficile.

10. Occupez-vous la bouche

Pour des besoins urgents d'avoir quelque chose dans la bouche, utilisez de la gomme, mâchez des bâtonnets de cannelle ou une paille, brossez-vous les dents plusieurs fois par jour, mangez des bâtonnets de carotte, de céleri et autres aliments frais, buvez beaucoup d'eau, etc.

11. Occupez-vous les mains

Occupez vos mains autrement : par exemple, avec un élastique, un trombone ou un crayon. Si vous avez l'habitude de fumer au téléphone, lorsque vous cesserez de fumer, prévoyez de tenir le récepteur de la main avec laquelle vous fumiez. Bricolez, dessinez, faites de la photo, jouez d'un instrument de musique, pianotez sur le clavier de votre ordinateur, caressez votre animal favori, malaxez une balle antistress, etc.

12. Relaxez-vous

Le stress est souvent associé au désir de fumer. Pour retrouver le bien-être sans le recours au tabac, vous auriez intérêt à faire des séances de relaxation.

13. Rencontrez...

... des anciens fumeurs ou fumeuses pour échanger des trucs et faire part de votre expérience pour renforcer votre motivation.

14. Essayez...

... de retarder la première cigarette de la journée et de supprimer la « cigarette réflexe » comme celle que vous allumez machinalement après le café.

15. Arrêtez...

... de fumer pendant une journée et observez vos difficultés. Si vous tenez le coup, vous pourrez vous préparer à un arrêt prolongé. Si vous n'y parvenez pas, ne vous découragez pas et recommencez.

16. Fixez-vous...

... une nouvelle date pour une nouvelle tentative !

17. Groupez le tir

Arrêtez en même temps qu'une amie, que votre petit ami ou mari. L'union fait la force !

18. Faites votre portrait...

... de fumeuse. Il est important que vous connaissiez la relation que vous avez établie avec le tabac. Cela vous aidera à prendre conscience de ce que vous allez abandonner. Faites le test de Fagerström en début de chapitre si vous l'avez zappé !

19. Déculpabilisez !

Ne vous dites pas : « Je suis nulle », ou « Je manque de volonté », ou « Je n'y arriverai jamais ». Dites-vous plutôt : « Pour le moment, j'ai du mal. J'ai observé mes difficultés, je serai donc mieux préparée la prochaine fois. »

20. Recommencez !

À essayer d'arrêter. Ce n'est pas une bonne résolution de plus, mais le moyen de parvenir au succès.

chapitre 8

Petit glossaire des bonnes résolutions

Dernière bonne résolution : « J'apprends toutes les définitions du glossaire par cœur »

Parvenue à ce stade du livre, vous êtes, à n'en pas douter, prête à adopter et tenir toutes vos bonnes résolutions. À moins que, fidèle à votre nature, vous n'ayez pas lu le quart du livre, que vous ayez zappé certains chapitres fâcheux, que vous l'ayez parcouru au-dessus de l'épaule de quelqu'un dans une librairie, en espérant vous en tirer à bon compte…

Quoi qu'il en soit, vous êtes arrivée jusqu'ici bon an mal an. Il ne vous reste plus maintenant qu'à bien étudier ce chapitre, à le mémoriser, à placer quelques bribes bien senties de vocabulaire dans la conversation, et personne ne prononcera jamais plus le mot « paresseuse » en votre présence !

Acides gras saturés, mono-insaturés, et poly-insaturés

Ce que la science en pense : les graisses, qu'elles soient animales ou végétales, sont classées selon leur saturation en acides gras. Les acides sont des chaînes d'atomes fixés entre eux par des liaisons. Ils sont « saturés » quand toutes leurs liaisons sont occupées, mono-insaturés lorsqu'ils ont un bras libre, et poly-insaturés lorsqu'il leur reste plusieurs bras libres.

Les acides gras mono et poly-insaturés sont de bonnes graisses provenant des aliments d'origine végétale ou animale. Ils font baisser le « mauvais » cholestérol (LDL) et maintiennent le « bon » (HDL).

Ce que les paresseuses peuvent en penser : vous vous en doutiez peut-être, il y a gras et gras – pas une excuse pour vous jeter sur les frites ! N'oubliez pas que tous les lipides affichent 9 Kcal par gramme ; privilégiez les huiles végétales pour la cuisson et les assaisonnements, mais ayez la main légère – un filet fera l'affaire !

Adipocytes (voir aussi *Tissu adipeux*)

Ce que la science en pense : vulgairement appelé « graisse », ce sont de grosses cellules constituant le tissu adipeux – on le serait à moins : elles sont 8 fois plus grosses que les autres ! Les adipocytes sont formés de compartiments, comme des sphères de lipides (80 % de leur volume total), et sont donc un véritable « grenier à graisse ». Ils ne sont cependant pas foncièrement mauvais car ce sont des réservoirs d'énergie ; ils stockent des vitamines, du cholestérol et des polluants.

Ce que les paresseuses peuvent en penser : la taille de vos adipocytes augmente en même temps que votre poids (sans compter qu'ils peuvent se multiplier tout au long de la vie). Bref, vous l'avez sans doute constaté : plus vous mangez, plus votre volume corporel devient conséquent ! Votre cas n'est toutefois pas désespéré : moins de sucres et de graisses, plus d'exercices physiques et vos adipocytes seront libérés de leur carcan, vous verrez leur taille diminuer en même temps que la vôtre !

Adrénaline

Ce que la science en pense : l'adrénaline est l'une des trois hormones responsables de l'utilisation des nutriments et de leur régulation dans le sang. Elle est produite par les glandes surrénales sous la direction du système nerveux autonome, un système qui participe aux fonctions d'éveil, d'activité et de stress de l'organisme.

Ce que les paresseuses peuvent en penser : vous libérez de l'adrénaline quand vous êtes stressée. Ce n'est ni bien, ni mal : c'est une réaction normale de défense mais, à haute dose, le stress altère les cellules et peut même tuer les neurones. De plus, le stress fait grossir : il induit un flot constant de cortisol, une hormone qui stimule l'insuline, qui, elle-même, favorise le stockage des graisses ! Conclusion : identifiez la cause de votre stress, détendez-vous et soyez plus tendre avec vous-même.

Antioxydants

Ce que la science en pense : les antioxydants sont des molécules qui luttent contre les radicaux libres (molécules toxiques dues au tabac, à la fatigue, au stress et aux polluants) et protègent contre les réactions d'oxydation qui accélèrent le vieillissement. On trouve des antioxydants dans les fruits, les légumes, le thé et le vin.

Ce que les paresseuses peuvent en penser : les antioxydants sont les « antirouille » de votre corps ; donc pour être mince et en bonne santé, ce n'est pas compliqué : faites le plein de fruits et de légumes !

Bêta-carotène

Ce que la science en pense : encore appelé « provitamine A ». C'est le pigment jaune orangé des fruits et légumes comme la carotte. Il possède de nombreuses vertus antioxydantes.

Ce que les paresseuses peuvent en penser : les fruits et les légumes ont encore une fois tout bon ! Vous savez ce qu'il vous reste à faire…

Calcium

Ce que la science en pense : le calcium est le sel minéral le plus abondant dans l'organisme. Il se concentre à près de 99 % dans les os et les dents. Il joue aussi un rôle primordial auprès des cellules musculaires et nerveuses.

Ce que les paresseuses peuvent en penser : il vous faut 800 à 1 000 mg de calcium par jour pour avoir de beaux os. Le calcium vous protégera contre l'ostéoporose (os poreux et cassants). Assurez vos vieux jours en buvant des eaux riches en calcium et en consommant un produit laitier à chaque repas.

Calories

Ce que la science en pense : la calorie est l'unité de base énergétique des aliments ; sa valeur s'exprime en kilocalories ou en kilojoules. Le nombre de calories nécessaires au quotidien dépend du sexe, de l'âge, du métabolisme individuel et de l'activité physique.

Ce que les paresseuses peuvent en penser : c'est ce qui fait grossir quand on en abuse ! Ne pas les compter obsessionnellement, mais s'en faire une idée en jetant un coup d'œil à une table des calories de temps en temps.

Cellulite

Ce que la science en pense : gonflement du tissu conjonctif placé sous la peau qui donne un aspect « peau d'orange ». La cellulite n'est ni plus ni moins que de la graisse composée d'adipocytes de grande taille ; elle est localisée sur les genoux, l'abdomen, les hanches et les cuisses (la disgracieuse « culotte de cheval » !).

Ce que les paresseuses peuvent en penser : c'est votre bête noire ! Voilà ce qui arrive quand on fait tout ce qu'on aime et non tout ce qu'il faudrait faire !

Cortisol

Ce que la science en pense : c'est une hormone sécrétée par les glandes surrénales. Le cortisol est fondamental dans le fonctionnement du corps humain. Il libère les réserves d'énergie au moment opportun (situation de stress, énervement, envie d'action, envie de combattre, etc.) et augmente l'apport en sucre dans le sang. C'est une hormone d'adaptation au stress dont l'excès augmente les risques de maladies cardiovasculaires, les ulcères d'estomac et le stockage des graisses. Le cortisol naturel a donné naissance à une classe de médicaments majeurs connue sous l'appellation de « cortisone ».

Ce que les paresseuses peuvent en penser : vous n'avez pas besoin de vous en occuper particulièrement. Laissez votre corps faire son boulot mais veillez à ne pas vous laisser dépasser par le stress de la vie quotidienne ; votre santé et votre ligne sont en jeu.

Endorphines

Ce que la science en pense : les endorphines sont des substances apaisantes libérées par le cerveau dans les situations de stress, et pendant et après l'exercice physique.

Ce que les paresseuses peuvent en penser : ne vous demandez plus pourquoi vous vous sentez bien après une bonne séance de sport !

Féculents

Ce que la science en pense : blé, riz, maïs, mais aussi haricots, lentilles, pommes de terre, les féculents sont des aliments d'origine végétale. Ils sont une source d'énergie, de vitamines et de minéraux, et contiennent une grande quantité de sucres lents.

Ce que les paresseuses peuvent en penser : ne les rejetez pas en bloc, ils vous aideront à contrôler votre faim. Faites jouer la diversité et la complémentarité tout en contrôlant vos portions.

Fer

Ce que la science en pense : il est important d'éviter la carence en fer, car ce minéral intervient dans la formation de l'hémoglobine qui transporte l'oxygène dans les tissus, dans la résistance aux infections et dans les performances physiques et intellectuelles.

Ce que les paresseuses peuvent en penser : si vous avez des règles abondantes et que vous êtes fatiguée, vous manquez peut-être de fer. Abusez pendant un certain temps de la viande rouge (maigre), du boudin noir et du foie de veau. Si les symptômes persistent, consultez votre médecin.

Fibres

Ce que la science en pense : les fibres alimentaires – que ce soient les fibres du son, des végétaux, des légumes secs ou des fruits – sont indispensables à la régulation intestinale et ont un rôle de prévention des cancers des voies digestives. Autre bon point : les fibres ont un effet « coupe-faim ».

Ce que les paresseuses peuvent en penser : les fibres traversent le tube digestif sans subir de transformation – ce qui signifie « 0 calorie à la clé » !

French paradox

Ce que la science en pense : paradoxe français (un peu contesté) qui souligne la contradiction apparente entre les maladies dont souffrent nombre de Français (diabète, cholestérol), leur nourriture riche, leur sédentarité et le fait que leur mortalité due aux maladies cardiaques est l'une des plus faibles du monde.

Ce que les paresseuses peuvent en penser : vous pouvez être un peu fière, mais ne croyez tout de même pas que le *french paradox* est un passeport pour manger n'importe quoi. Il n'y a pas de mystère : il s'agit en fait du régime méditerranéen qui privilégie les fruits et les légumes ainsi que l'huile d'olive, au détriment des graisses animales.

Glucides (ou sucres)

Ce que la science en pense : les glucides sont encore appelés « sucres » ou « hydrates de carbone ». On les divise en deux camps :

- Les sucres lents (ou complexes), plus longs à se décomposer dans l'organisme. Ils sont formés d'une chaîne plus ou moins longue de molécules de glucose et ont un pouvoir sucrant modéré et prolongé. Ce sont les pâtes, le pain, les céréales, les légumes secs, les pommes de terre.
- Les sucres rapides (ou simples), immédiatement utilisables. Ils sont composés d'une seule molécule de glucose, de fructose (le sucre naturel des fruits), de galactose ou de deux molécules de saccharose (sucre pur) et de lactose (glucide du lait). Ils ont un pouvoir sucrant élevé et rapide, surtout s'ils sont consommés en dehors des repas. Ces sont les sodas, les jus de fruits, le miel, la confiture, les glaces, les pâtisseries et le sucre de table.

Ce que les paresseuses peuvent en penser : les sucres ne sont pas diaboliques – à condition de savoir les distinguer et de ne pas se laisser aller à des pulsions incontrôlées. Avec des sucres lents pour caler l'estomac et pour l'énergie, et une rare douceur pour l'humeur et le plaisir, il n'y a pas de quoi grossir.

Glycémie

Ce que la science en pense : la glycémie est le taux de sucre circulant dans le sang dans des conditions normales.

Ce que les paresseuses peuvent en penser : il n'y a pas de raison de vous poser trop de questions. À moins d'être diabétique ou de manger de façon totalement anarchique.

Graisses (voir *Lipides*)

Hypoglycémie

Ce que la science en pense : la crise d'hypoglycémie a pour origine une baisse du glucose du cerveau, due à un mauvais fonctionnement du pancréas qui sécrète l'insuline régulant le taux de sucre dans le sang. L'hypoglycémie provoque un malaise qui se traduit par une angoisse, une grande fatigue, des difficultés à se concentrer, des sueurs et des tremblements.

Ce que les paresseuses peuvent en penser : ne sautez pas de repas, à commencer par le petit-déjeuner, sous peine d'avoir un coup de barre à 11 h, voire une crise d'hypoglycémie. Fractionnez vos collations et ne consommez pas d'aliments sucrés en dehors des repas, car cela oblige le pancréas à sécréter brutalement de l'insuline.

Index de glycémie

Ce que la science en pense : l'index de glycémie d'un aliment témoigne de sa vitesse de pénétration dans le sang ; il varie selon les aliments avec lesquels il est consommé et associé. Plus l'index de glycémie d'un aliment est bas, plus la réponse glycémique (le taux de sucre) est étalée dans le temps.

Ce que les paresseuses peuvent en penser : choisissez en priorité des aliments à index glycémique faible, car un taux élevé ou l'élévation brutale du taux de glycémie provoque une augmentation de l'insuline, qui a pour conséquences une fatigue musculaire, des pannes cérébrales et... le stockage des graisses !

Insuline

Ce que la science en pense : c'est une hormone sécrétée par le pancréas. Elle permet l'assimilation du sucre (glucose) apporté par l'alimentation et favorise son utilisation par les cellules ou sa mise en réserve dans le foie, les muscles et... les tissus graisseux.

Ce que les paresseuses peuvent en penser : rien de spécial, sauf qu'il vaut mieux éviter les variations intempestives de votre taux d'insuline (du genre « fringales de sucre »). Les pics d'insuline provoquent une faim de loup et le trop-plein de glucides se transforme en lipides, qui font leur nid dans les cellules graisseuses !

Lipides (ou graisses)

Ce que la science en pense : les lipides ont un rôle énergétique important et sont fondamentaux dans la composition des membranes des cellules, des noyaux et tissus nerveux. Il est nécessaire d'avoir un apport suffisant en lipides car ils entrent en jeu dans l'assimilation des vitamines et la fabrication des hormones.

Ce que les paresseuses peuvent en penser : il en existe de plusieurs sortes (graisses ou acides gras saturés, mono et poly-insaturés) et elles ne sont pas toutes recommandables (voir plus haut). Question « poids », ne renversez pas la bouteille d'huile d'olive dans votre salade sous prétexte qu'elle est bonne pour la santé : vos hanches risqueraient d'en pâtir !

Magnésium

Ce que la science en pense : minéral dont le rôle est prépondérant dans la bonne marche de l'activité cérébrale, la résistance au stress et le fonctionnement des muscles.

Ce que les paresseuses peuvent en penser : il vous suffit de retenir que, fort à propos, le chocolat noir contient du magnésium !

Masse grasse

Ce que la science en pense : encore nommée « graisse corporelle », la masse grasse est présente sous la surface de la peau et dans les profondeurs du corps. Son excès, en plus de nuire à l'esthétique, nuit à la santé, surtout lorsque ladite graisse se situe autour de l'abdomen. Il s'agit alors d'obésité androïde car elle touche plus les hommes, mais elle se rencontre aussi chez les femmes. Cette forme d'obésité expose aux maladies cardiovasculaires et se trouve souvent associée au diabète de type 2.

Ce que les paresseuses peuvent en penser : pas vraiment du bien ! Disgracieuse et nuisible pour la santé, il faut vous en débarrasser une fois pour toutes !

Masse maigre (ou muscle)

Ce que la science en pense : la masse maigre n'a que des avantages puisqu'elle brûle plus de calories que la graisse ; encore faut-il l'entretenir en la faisant travailler régulièrement. C'est dans les muscles que les graisses se consument : 1 kg de muscles dépense 30 Kcal contre 5 à 6 Kcal pour la masse grasse. À méditer !

Ce que les paresseuses peuvent en penser : que du bien ! Chez une sportive, la masse maigre dépense environ 10 % d'énergie supplémentaire que chez une non-sportive, même au repos. Maigrir sans rien faire, c'est le rêve, non ?

Méditation

Ce que la science en pense : c'est la parfaite solution antistress et une technique simple prouvée par de nombreuses études scientifiques pour soulager divers symptômes tels que l'anxiété, la tension musculaire, la pression artérielle et le rythme cardiaque. La méditation vous permet, en outre, d'être plus à l'écoute de votre for intérieur et d'observer votre corps et votre mental jusqu'à que vous n'en soyez plus qu'un pur témoin.

Ce que les paresseuses peuvent en penser : ne croyez pas que la méditation demande des années d'entraînement digne d'un moine tibétain. Au départ, il faut s'habituer à faire le vide dans sa tête. Cela n'est certes pas facile, mais une fois aguerrie, vous pourrez même méditer dans les embouteillages.

Métabolisme de base

Ce que la science en pense : c'est l'ensemble des dépenses énergétiques liées à l'entretien et à la vie de toute personne au repos complet et à une température stable. Bref, c'est le nombre de calories que votre corps brûle au repos et la composante principale (60 à 70 %) de votre dépense énergétique globale.

Ce que les paresseuses peuvent en penser : les dépenses du métabolisme de base sont en partie génétiques et diminuent avec l'âge. Il vous reste cependant de l'espoir : plus vous êtes musclée, plus votre métabolisme est actif !

Minéraux (et oligoéléments)

Ce que la science en pense : potassium, calcium, magnésium, fer, cuivre, zinc, nickel et sélénium sont indispensables au métabolisme et présents en quantité infinitésimale dans l'organisme. Ils n'apportent pas de calories et, en plus, ils protègent des maladies que vous n'avez pas envie de voir apparaître.

Ce que les paresseuses peuvent en penser : de bons petits trucs minuscules et invisibles à trouver dans une alimentation variée qui privilégie les produits frais. Même la plus paresseuse peut le faire !

Nutriments

Ce que la science en pense : les aliments sont composés de nutriments – protides (protéines), lipides (graisses) et glucides (sucres). Les nutriments ont pour fonction de fournir de l'énergie, mais chaque nutriment a aussi toutes sortes de fonctions propres. Les protéines sont les bâtisseurs des cellules ; les glucides sont la principale source d'énergie du cerveau et des muscles, y compris du cœur ; les lipides, constituants des cellules et stockés dans les tissus graisseux, sont le support de certaines vitamines et une réserve importante d'énergie.

Ce que les paresseuses peuvent en penser : les nutriments ne sont pas libres et égaux en droit, s'agissant tout au moins de votre ligne. La preuve : 1 g de protéines ou de glucides apporte 4 Kcal et 1 g de lipides 9 Kcal. À vous d'en tirer les conclusions qui s'imposent.

Phase d'alarme (*du stress*)

Ce que la science en pense : l'organisme qui subit un choc met en route ses défenses par de nombreuses réactions biologiques (augmentation de l'irrigation sanguine du cerveau et du cœur facilitant un surcroît d'activité, diminution de la douleur, tension des muscles, et acuité visuelle et intellectuelle augmentée).

Ce que les paresseuses peuvent en penser : il faut bien reconnaître que c'est parfois utile – par exemple, pour ne pas louper l'*happy hour* !

Phase de résistance (*du stress*)

Ce que la science en pense : cette période détermine la stratégie à adopter face à l'agression – soit l'affrontement, c'est-à-dire la réaction destinée à supprimer ou à neutraliser ce qui a provoqué l'agression, soit la fuite si celle-ci est possible. Ces réactions se font par l'intermédiaire d'hormones et de neurotransmetteurs.

Ce que les paresseuses peuvent en penser : affrontement ou fuite, c'est selon les circonstances et selon les personnalités. De toute façon, faites confiance à votre rhinencéphale (ou encore « cerveau reptilien », la partie la plus archaïque du cerveau) puisque c'est lui qui contrôle les comportements et les émotions, et qui décide de la marche à suivre en une fraction de seconde.

Phase d'épuisement (*du stress*)

Ce que la science en pense : c'est là que les choses se gâtent. Si ce qui a provoqué le stress ne peut être neutralisé ou s'il se prolonge, l'organisme en subit les conséquences. Quand le stress devient chronique, il y a danger, car l'organisme doit constamment s'adapter. L'équilibre nerveux et hormonal se trouve modifié, les capacités de concentration et de productivité sont en chute libre, et les retombées psychologiques sont plus ou moins sévères.

Ce que les paresseuses peuvent en penser : fuyez comme la peste le stress chronique si vous ne voulez pas vous ruiner la santé mentale et physique !

Polyphénols

Ce que la science en pense : ils font partie de la famille des micronutriments. Ce sont des antioxydants aux propriétés anti-inflammatoires et antiallergiques. Ils se répartissent en deux familles moléculaires : les acides phénoliques et les flavonoïdes.

Ce que les paresseuses peuvent en penser : une prévention bien ciblée, c'est bon à prendre. Évidemment, il faut se nourrir de légumes verts, de fruits rouges et boire du thé et/ou du vin – on ne peut plus faisable, n'est-ce pas ?

Protéines (ou protides)

Ce que la science en pense : il s'agit des macromolécules constituées par l'association d'acides aminés indispensables à tous les tissus (muscles, peau, etc.) ; elles participent aussi au système immunitaire.

Ce que les paresseuses peuvent en penser : n'oubliez jamais que les protéines sont les constituants de la masse maigre ; donc, si vous ne consommez pas assez de protéines, vous deviendrez ramollo. Il faut vous en assurer un apport suffisant : 1 g de protéines par jour et par kilo.

Radicaux libres

Ce que la science en pense : ils sont responsables du « stress oxydatif ». Explication : ce sont des éléments chimiques qui ont un électron instable – ce qui les incite à rechercher la stabilité auprès d'autres molécules pour s'accoupler et leur donner ou leur prendre un électron (ce qui endommage les cellules). D'un côté, ils participent aux défenses de l'organisme en luttant contre les infections ; d'un autre côté, ils favorisent l'apparition de nombreuses maladies.

Ce que les paresseuses peuvent en penser : un peu mais pas trop, pour que la production et l'élimination des radicaux libres s'équilibrent et n'abîment pas vos cellules. N'en favorisez pas la production avec le stress, le tabac et la pollution, et misez sur les antioxydants contenus dans des bonnes choses comme les fruits et les légumes frais, les céréales complètes, l'ail, la viande, les poissons et le germe de blé.

Sélénium

Ce que la science en pense : c'est un oligoélément en guerre contre les radicaux libres. Son action est couplée à celle de la vitamine E. On lui prête des propriétés anticancéreuses et antivieillissement.

Ce que les paresseuses peuvent en penser : si vous êtes fumeuse, vous êtes sans doute carencée en sélénium. Pour ne pas vous rider prématurément, traquez-le dans les céréales complètes, le germe de blé, la viande, les légumes secs, les brocolis, les œufs, le poisson et les huîtres.

Sérotonine

Ce que la science en pense : neurotransmetteur qui intervient probablement dans la régulation du sommeil, de l'appétit et de l'humeur. Les personnes déprimées ou anxieuses ont souvent un déficit de sérotonine. Sa production est favorisée par le sport.

Ce que les paresseuses peuvent en penser : encore une fois, vous n'y couperez pas – au sport ! Alors, quand vous avez le moral à zéro, ne vous jetez pas sur la tablette de chocolat ; enfilez juste vos baskets : à n'en pas douter vous serez tentée de vous en servir.

Sodium (ou sel)

Ce que la science en pense : il favorise la rétention d'eau et peut faire monter la tension.

Ce que les paresseuses peuvent en penser : « un peu mais pas trop », telle doit être votre devise. Vous penserez aussi à être vigilante en regardant attentivement les étiquettes des plats et pains industriels, des conserves, des condiments et même de certains aliments au goût sucré qui contiennent quand même du sel.

Sophrologie

Ce que la science en pense : la sophrologie consiste, en utilisant différentes techniques de respiration et de visualisation, à atteindre un état de « conscience modifiée ». Le but est de faire communiquer les deux hémisphères cérébraux : le gauche (siège du conscient, de la logique et du raisonnement) et le droit (siège de l'inconscient, de l'émotion, de la création et de l'intuition).

Ce que les paresseuses peuvent en penser : pour vous sentir totalement détendue et ressentir un bien-être intérieur. Vous apprendrez à décrypter vos émotions pour mieux les maîtriser et reprendre confiance en vous.

Stress

Ce que la science en pense : ni bon ni mauvais en soi, le stress est un syndrome normal d'adaptation. À petites doses, il est indispensable à la survie et à l'évolution, à l'efficacité et à la créativité, mais point trop n'en faut : sinon, d'une réaction biologique naturelle, le stress devient toxique.

Ce que les paresseuses peuvent en penser : syndrome ou pas, vous devez vaincre votre stress et apprendre à le gérer. Sinon, vous verrez monter votre taux de cortisol : vous savez, la fameuse hormone responsable du stockage des graisses et de la prise de poids.

Tai-chi-chuan

Ce que la science en pense : le tai-chi-chuan est un savant mélange de gestes et de postures à réaliser en enchaînements. Cet art martial évoque à la fois une danse lente et un combat au ralenti. Le principe est simple : il s'agit d'effectuer des gestes lents et souples, qui faciliteraient la circulation de l'énergie corporelle (Chi ou Qi) au sein de l'organisme.

Ce que les paresseuses peuvent en penser : pour être « in » et, plus sérieusement, pour gérer votre stress et retrouver le calme, car les techniques respiratoires et les mouvements souples du tai-chi vous permettront d'atteindre une relaxation profonde.

Tissus adipeux

Ce que la science en pense : réserves de graisses – comprenant le tissu adipeux brun, présent à la naissance, et le tissu adipeux blanc, développé après. Ce dernier est essentiellement composé d'adipocytes blancs et a de multiples fonctions. Il assure le stockage et la mobilisation de réserves d'énergie lipidiques, de polluants, de vitamines liposolubles et du cholestérol. Il a aussi une fonction endocrine : sécrétion de leptine, d'œstrogènes, etc.

Ce que les paresseuses peuvent en penser : pas que du bien ! Difficile de se faire une raison même si on sait que les femmes sont programmées génétiquement pour stocker de la graisse : il fallait bien tenir le coup pour faire des enfants, même en cas de famine. Le mieux, c'est quand même de limiter les dégâts avec une alimentation équilibrée, pas trop grasse, pas trop sucrée et… de l'exercice physique !

Vitamines

Ce que la science en pense : ce sont des substances organiques nécessaires, en très petites quantités, à la croissance et au bon fonctionnement de l'organisme. À l'exception de la vitamine D, les vitamines peuvent être synthétisées par notre corps et doivent donc être présentes dans l'alimentation. Elles préviennent et participent au traitement de certaines maladies comme le cancer ou les maladies cardiovasculaires.

Ce que les paresseuses peuvent en penser : les vitamines sont présentes dans la nourriture saine, c'est-à-dire ni les cochonneries ni l'alcool !

Yoga

Ce que la science en pense : technique de relaxation et de connaissance de soi. Bien plus qu'une simple gymnastique, le yoga (qui signifie « réunir », « relier » en sanskrit) est une approche globale de santé. C'est une discipline rigoureuse qui permet de se détacher du stress et de retrouver énergie, sérénité et confiance en soi. Les différentes postures permettent de lutter contre l'énervement, les tensions musculaires, la fatigue, le surmenage et l'insomnie.

Ce que les paresseuses peuvent en penser : épanouissement, connaissance de soi, bien-être physique et psychologique, sérénité intérieure… le yoga se révèle fort utile pour les paresseuses stressées.

Zinc

Ce que la science en pense : c'est un minéral essentiel, il a un pouvoir antioxydant à la dose de 30 mg par jour.

Ce que les paresseuses peuvent en penser : faites le plein de zinc en mangeant des huîtres le plus souvent possible ; et si vous n'aimez pas les huîtres, il vous reste le pain complet, les jaunes d'œufs (si vous n'avez pas de cholestérol), les amandes et la viande de bœuf.

Table des matières

Dans la même collection :

La Sexualité des paresseuses
La Santé des paresseuses
La Beauté des paresseuses
La Gym des paresseuses
La Cave à vin des paresseuses
Le Corps de rêve des paresseuses
Le Feng Shui des paresseuses
La Cuisine des paresseuses
Le Régime des paresseuses
Le Nouveau Savoir-Vivre des paresseuses
L'Astrologie des paresseuses
La Fête des paresseuses
La Vie rêvée des paresseuses
L'Agenda des paresseuses 2006
L'Armoire idéale des paresseuses
L'Art de se faire épouser des paresseuses
Le Guide de survie des paresseuses
L'Histoire de France des paresseuses

Photocomposition Nord Compo

Imprimé en Italie
par « La Tipografica Varese S.p.A. » Varese
ISBN : 2501045440
Dépôt légal : 68107 – Mars 2006
40.9487.6/01